Scènes
de la vie conjugale

Le couple au théâtre,
de Shakespeare à Yasmina Reza

Présentation, choix des extraits, notes et dossier par
ANNE CASSOU-NOGUÈS,
professeur de lettres

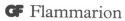

GF Flammarion

Création maquette intérieure : Sarbacane Design.
Composition : In Folio.

© Éditions Flammarion, 2008
ISBN : 978-2-0812-1268-8
ISSN : 1269-8822

Dépôt légal : juin 2008,
numéro d'édition : L.01EHRN000231.N001.

GF Flammarion

08/05/137962-V-2008 – Impr. MAURY Imprimeur, 45330 Malesherbes.
N° d'édition LO1EHRN000231N001. – Juin 2008. – Printed in France.

SOMMAIRE

Scènes
de la vie conjugale

LA COMÉDIE AU TEMPS DES LUMIÈRES

LE DRAME ROMANTIQUE

LE VAUDEVILLE

UN THÉÂTRE NATURALISTE

LE THÉÂTRE ÉPIQUE

LE THÉÂTRE DE L'ABSURDE

DU THÉÂTRE AU CINÉMA

LE THÉÂTRE CONTEMPORAIN

◼ Dossier 177

Que seraient Roméo sans sa Juliette, Rodrigue sans sa Chimène ou Cyrano sans sa Roxane ? Parfois inspirés de personnages historiques, parfois issus de l'imagination d'un auteur, certains couples célèbres de la littérature se sont émancipés du texte pour accéder au statut de mythe : leurs histoires, leurs amours troublées et conflictuelles, sont devenues des symboles de la fragilité des sentiments humains.

Si la mise en scène du couple n'est pas l'apanage du théâtre – en témoignent le roman *Tristan et Iseut*, ou les poèmes écrits par Dante à Béatrice et par Ronsard à Cassandre –, la scène conjugale est, par essence, théâtrale : « Lorsque deux sujets se disputent selon un échange réglé de répliques et en vue d'avoir le "dernier mot", ces deux sujets sont *déjà* mariés », écrit Roland Barthes dans *Fragments d'un discours amoureux* (1977). Dès lors, le théâtre apparaît particulièrement approprié à la représentation de la scène conjugale et, plus généralement, à celle de la vie de couple. En effet, l'écriture théâtrale se fonde sur le dialogue, qu'il soit duel ou duo. En outre, la mise en scène des relations conjugales, par leur caractère à la fois banal et mystérieux, engage un rapport particulièrement intime avec un public que le théâtre entreprend de séduire, de corriger ou d'interroger.

Les scènes de la vie conjugale représentées au théâtre connaissent d'importantes variations d'une époque à l'autre, en fonction de deux paramètres principaux. D'une part, inscrites dans une époque, voire au sein d'un mouvement littéraire particulier, elles sont le reflet d'une esthétique. D'autre part, la définition du couple évolue avec la société : restée longtemps inenvisageable, la séparation devient un thème central des scènes de la vie conjugale contemporaines.

Pour comprendre les enjeux des scènes présentées dans cette anthologie, repérons de quelle manière la représentation du couple sur la scène s'alimente de la situation de communication particulière qui est celle du théâtre. Dans un second temps, retracer la formation et l'évolution du dialogue dramatique à travers les âges nous permettra d'appréhender le contexte d'écriture et de réception des textes présentés dans l'anthologie.

La situation de communication au théâtre

Différents textes dans le texte

Le dialogue apparaît comme l'essence du théâtre : aux origines de la représentation, vers 550 av. J.-C., le poète grec Thespis est le premier à instaurer une sorte de dialogue dramatique ; il fait échanger le chœur de chanteurs-danseurs, originellement seul sur scène, avec un personnage extérieur, chargé de le questionner ou de lui répondre à l'aide de tirades parlées.

Le texte théâtral ne se réduit pas pour autant à un enchaînement de questions et de réponses. D'une part, il se compose de différents énoncés, reconnaissables visuellement par le lecteur : des répliques des personnages, écrites en bas de casse (caractères d'imprimerie traditionnels), se distinguent les didascalies (du grec *didaskalia*, « enseignement »), écrites soit en lettres capitales (noms des personnages), soit en italique (indications scéniques), que les acteurs ne prononcent pas. Par leur intermédiaire, l'auteur nous renseigne sur les mouvements des personnages, leurs intonations de voix, leurs costumes, le décor, etc. Libre ensuite au metteur en scène et aux acteurs de suivre scrupuleusement ces indications ou de les modifier.

D'autre part, loin d'être toujours dialogué, le texte dit par les acteurs peut prendre la forme du monologue (tirade prononcée par un personnage seul en scène) ou de l'aparté (réplique adressée au public, et que les autres personnages présents sur scène ne doivent pas entendre).

La double énonciation

Autre particularité du texte théâtral : la double énonciation. Chaque fois qu'un personnage s'adresse à un autre, c'est aussi l'auteur qui parle au spectateur. Dans *Le Cid* de Corneille, par exemple, en même temps que Rodrigue s'adresse à Chimène, le dramaturge s'adresse au public réel de la pièce (texte 4). Le metteur en scène et les comédiens ajoutent eux aussi leur voix. Ainsi, dans sa mise en scène flamenco du *Cid* (1998), Thomas Le Douarec, lors de la confrontation de Chimène avec Rodrigue, habille la jeune femme d'une simple chemise de nuit transparente, soulignant les sentiments amoureux qui transparaissent rapidement sous le désir de vengeance de ce personnage. De cette manière, il complète ou modifie le discours du dramaturge et celui du personnage de Chimène, les adaptant au public contemporain, différent du public du XVIIe siècle.

Les auteurs de théâtre exploitent la double énonciation principalement de deux manières. Dans certains cas, ils font semblant de l'ignorer : ils construisent un « quatrième mur » entre la scène et la salle, et les personnages font semblant de vivre leur vie sans songer aux spectateurs. Il s'agit bien sûr d'une illusion : l'auteur n'ignore pas complètement son public ! Il a soin de l'émouvoir, de le faire rire, de lui donner des informations... Ainsi, Figaro et Suzanne se disputent comme s'ils étaient seuls (texte 10), mais leur dialogue divertit le public (comique de mots, comique de caractère) et l'informe de la situation : ils doivent se marier, mais dépendent du Comte, qui a des vues sur Suzanne. Dans d'autres cas, les auteurs dramatiques prennent explicitement en compte les spectateurs : les personnages leur adressent de brefs apartés ou les prennent à partie (texte 26).

La double énonciation permet des effets dramatiques. Quand le spectateur en connaît plus que les personnages, il jouit d'une supériorité qui lui permet de se moquer d'eux ou au contraire d'anticiper leur souffrance et d'éprouver de la pitié. Le public s'amuse des quiproquos du *Jeu de l'amour et du hasard* parce qu'il est averti que Silvia et Dorante sont tous deux déguisés en valets, ce qu'eux-mêmes ignorent (texte 9). À l'inverse, selon le procédé de l'ironie tragique, il éprouve de la compassion pour Britannicus car il sait par avance que tous les efforts du Prince pour l'emporter sur Néron resteront vains et que chacun de ses actes se retournera contre lui (texte 5).

Du texte à la représentation

Le texte ne constitue en réalité qu'une petite part du spectacle théâtral. Dans cette perspective, la définition donnée par Umberto Eco du texte littéraire en général – « Le texte est une machine paresseuse qui exige du lecteur un travail coopératif acharné » – éclaire particulièrement bien le fonctionnement du texte dramatique. Puisque le sens d'une pièce ne peut se réduire à celui des répliques, le lecteur, privé de la représentation et de ses artifices, doit recomposer le sens en convoquant des éléments absents. Parmi ces derniers, on compte l'espace : à la fois l'espace scénographique (qui comprend l'aire de jeu réservée aux comédiens et l'aire aménagée pour recevoir le public) et l'espace scénique défini par le décor. Par exemple, Thomas Ostermeier, dans sa mise en scène d'*Une maison de poupée* d'Ibsen (texte 17), encombrait la scène de meubles volumineux et d'un immense aquarium symbolisant à la fois la lourdeur des contraintes matérielles qui pèsent sur Nora et l'immobilisme bourgeois. Autre vide à combler par le lecteur : les costumes et les objets, qui aident à caractériser un personnage et une époque, ou à créer un univers – dans la mise en scène de *Roméo et Juliette* (texte 2) de Stuart Seide (1999), les deux amoureux sont vêtus d'un jean et d'un T-shirt blanc, ce qui suggère leur intemporalité.

Scènes de la vie conjugale

À travers les diverses possibilités qu'offre sa dimension dialogique, le théâtre apparaît comme une forme littéraire privilégiée pour exprimer l'amour, le duo amoureux et le conflit, le duel verbal ou physique. Voilà qui explique pourquoi la vie conjugale est si souvent mise en scène, tant dans sa dimension lyrique que dans sa dimension polémique. En dépit des variations qu'elles connaissent d'un siècle à l'autre, les scènes de la vie conjugale construisent un certain nombre de *topoï*, de lieux communs. Mettre en scène un couple, c'est souvent montrer la naissance du conflit au sein de la complicité amoureuse. Ce conflit peut être la conséquence d'une intervention extérieure. Il peut aussi surgir à l'intérieur du couple, le temps venant s'attaquer aux jeunes sentiments exaltés.

Le couple en société

Parce que le couple vit en société, il est toujours sous le regard des autres : il doit faire face aux menaces du pouvoir, supporter le poids des conventions... S'aimer devient alors un combat à résonance politique : tel est le premier *topos* que l'on observe dans la représentation théâtrale des couples. Le pouvoir politique ou la hiérarchie sociale empêchent le couple de se former ou exigent sa dissolution au nom d'un intérêt supérieur : le bien-être de la communauté. Ainsi, la tragédie classique met en scène le conflit entre l'honneur et l'amour : Titus ne peut régner sur Rome et épouser Bérénice (texte 6). Le drame romantique, lui, fait de la société un obstacle majeur à l'amour : c'est elle qui contraint les jeunes filles à obéir à leur famille et à épouser des hommes qu'elles n'aiment pas (textes 11 et 12), c'est elle qui condamne au malheur les rebelles et les bâtards. De fait, la société exige de l'amour qu'il ne trouble pas la hiérarchie sociale : on tolère qu'un maître aime une soubrette (texte 10), mais non qu'il l'épouse, car il risque alors de faire vaciller la société tout entière (texte 9). Le plus souvent, la société est incarnée par une figure paternelle qui, dressée entre les amants, tente de leur interdire de former un couple : condamnés à la clandestinité, Roméo et Juliette ne peuvent s'aimer au grand jour en raison des rivalités qu'entretiennent leurs parents (texte 2). Enfin, les règles de la politesse veulent que le couple adopte en société un visage aimable qui dissimule parfois les troubles et les tensions intimes. Dévoiler ses sentiments serait choquant : le couple est donc contraint à l'hypocrisie. Le théâtre contemporain se plaît à en montrer les failles (textes 24 et 26) et à étudier la manière dont tombent les masques.

Le conflit dans l'intimité

Pourtant, le couple n'est pas seulement soumis à des dangers extérieurs. Le conflit naît parfois au sein même du duo amoureux. En effet, l'amour est confronté à l'épreuve du temps : cela constitue un autre grand *topos* des scènes de la vie conjugale. Installé dans le quotidien, le couple doit faire face au déroulement des jours insignifiants, banals. Le temps passe et influe sur lui : les corps s'affaissent (les seins prennent la forme de portemanteaux, texte 15), les habitudes s'installent, et progressivement l'amour fait place au désamour. Le duo se fait alors trio : au mari et à la femme viennent s'ajouter l'amant (textes 16 et 21) ou la maîtresse (texte 18). Cet intrus qui mine le couple n'est parfois qu'un fantasme dans l'esprit jaloux d'un mari inquiet comme Othello (texte 3) : pour que se joue la scène de jalousie, la trahison n'est pas nécessaire, le doute seul peut désunir ceux qui s'aiment. Les couples se déchirent et se haïssent, sans toujours se séparer (textes 24 et 25). Ceux qui se quittent se retrouvent parfois quelques années plus tard dans la haine, l'indifférence ou le désir d'aimer à nouveau, tels Lulu et Gino (texte 28).

Si l'échange et le conflit au sein du couple constituent un motif essentiel de l'écriture théâtrale, les dramaturges sont marqués par le contexte historique et esthétique de leur époque, lequel influe sur le dialogue de théâtre et, nous le verrons au fil des textes de cette anthologie, sur la représentation des scènes de la vie conjugale.

Le dialogue dramatique à travers les âges

La naissance du théâtre profane en France

Autour de l'an mil se développe un théâtre religieux, les « mystères », au cours desquels est représentée, à l'intérieur des églises, l'histoire de la chute et du salut de l'homme. Progressivement, les acteurs se mettent à jouer sur les parvis et sur les places publiques. À ces longues pièces religieuses sont ajoutées des scènes comiques, qui apaisent la tension suscitée par les épisodes tragiques et rendent la représentation plus accessible à un public populaire. Parallèlement, dans les foires, des jongleurs récitent des fabliaux et multiplient les jeux de scène pour attirer l'attention des passants. La farce, mot qui vient du verbe « farcir », hérite de cette double tradition (texte 1) : elle a pour fonction de remplir les interstices et permet de se distraire sans se prendre au sérieux. Ces pièces remportent un succès grandissant au cours des XIVᵉ et XVᵉ siècles, à un moment où la vie politique semble elle-même se faire spectacle, à travers les tournois, les défilés et les cortèges royaux. Devant ce succès, les acteurs s'unissent en petites troupes d'amateurs.

Le théâtre savant de la Renaissance

En 1548, les mystères sont interdits. L'Église, qui considère le théâtre comme immoral et dangereux, cherche à contenir son influence en le chassant de la rue pour l'enfermer dans des lieux clos. Les comédiens y voient l'occasion de faire payer les entrées et de se professionnaliser. Les farceurs, à l'Hôtel de Bourgogne par exemple, sont influencés par la *commedia dell'arte*, mise à la mode en France par Marie de Médicis au début du XVIIᵉ siècle : ils recourent au masque et improvisent sur un canevas préétabli.

Parallèlement, et là se trouve la nouveauté, se crée un théâtre savant, constitué de tragédies et de comédies à l'antique, destinées à une élite cultivée. Ce nouveau théâtre se réclame de modèles grecs et latins : Plaute et Térence pour la comédie, Euripide et Sénèque pour la tragédie. À partir de ces références antiques mais aussi à l'aide de textes théoriques comme la *Poétique* d'Aristote ou l'*Art poétique* d'Horace, les auteurs commencent à établir des règles (l'unité d'action, qui entraîne les unités de temps et de lieu, par exemple) qui ne sont encore que peu respectées. La comédie, pleine d'audace, met en scène des personnages de basse condition, qui s'expriment dans un langage familier ; elle développe une morale pragmatique et parfois cynique. Au contraire, la tragédie montre des personnages de haute condition, appartenant à la mythologie ou à l'Histoire. Deux formes de tragédie émergent. Les unes, comme *Les Juives* de Robert Garnier (1583), sont plutôt statiques : les personnages prennent conscience de leur destin tragique à travers de longues tirades de déploration pathétique. Les autres, à l'instar de *Saül le Furieux* de Jean de La Taille (1572), représentent des héros luttant contre leur destin et offrent donc une plus grande place à l'action.

Le théâtre baroque

À la fin du XVIᵉ siècle et durant le XVIIᵉ, le théâtre connaît un grand essor à travers toute l'Europe. Les conditions politiques et économiques sont en effet à nouveau favorables, après un siècle d'incertitudes et d'angoisses, provoquées par la découverte de nouveaux mondes, l'affirmation de l'héliocentrisme et les conflits entre catholiques et protestants. En Angleterre, malgré les conflits religieux, le règne d'Élisabeth Iʳᵉ se caractérise par la suprématie maritime et la conquête de nouvelles terres mais aussi par le développement de l'industrie et du commerce. En Espagne, le règne de Philippe II fait resplendir les derniers feux du Siècle d'or, marqué par la conquête des Amériques. Ces deux grandes puissances rivales développent une politique culturelle destinée à faire resplendir leur gloire aux yeux du monde. En Angleterre et en Espagne, le public populaire souhaite du spectacle, tandis que le public plus cultivé est avide de raffinements : les troupes, par des productions très nombreuses, tentent de répondre simultanément à ces deux exigences.

Cet attrait pour le spectaculaire et pour l'ornement inscrit le théâtre du tournant des XVIᵉ et XVIIᵉ siècles dans le mouvement baroque (textes 2 et 3). Le terme « baroque » traduit le mot portugais *barroco*, qui désigne une perle de forme irrégulière. En littérature, a été *a posteriori* qualifié de baroque le « goût de la *liberté* », c'est-à-dire « le dédain des règles, de la mesure, des bienséances, de la séparation des genres. Est baroque ce qui est *irrationnel* : [...] le goût des charmes de la nature, celui du mystère et du surnaturel et, enfin, l'élan émotif et passionnel[1] ». Le thème philosophique antique du « théâtre du monde » est remis au goût du jour : tous les hommes jouent la comédie et le monde n'est qu'une scène.

Par contraste avec l'Angleterre et l'Espagne, le mouvement baroque tarde à s'installer en France. La guerre civile, marquée par le massacre des protestants lors de la Saint-Barthélemy (1572) et par l'édit de Nantes qui met un terme aux guerres de Religion (1598), compromet les tentatives des dramaturges de la Renaissance. De plus, entre 1610 et 1624, l'autorité monarchique subit une grave crise : après l'assassinat d'Henri IV en 1610, Marie de Médicis devient régente mais ne manifeste aucun sens du politique. Le pouvoir est par conséquent attaqué de toutes parts et se préoccupe peu de la culture. Les théâtres sont beaucoup moins nombreux qu'en Espagne et en Angleterre. Les interdits et les restrictions rendent les représentations difficiles.

Or un changement majeur intervient à la fin des années 1620. Avec l'arrivée, en 1615, d'hommes nouveaux à la tête de l'État, dont le cardinal de Richelieu, les affaires sont progressivement reprises en main. Dès 1624, Richelieu, devenu chef du Conseil du roi Louis XIII, veut imposer une nouvelle définition de la monarchie : pour lui, le pouvoir du roi doit être absolu ; il faut que le souverain s'affirme comme le chef des armées et du pouvoir judiciaire. Le goût personnel de Richelieu pour le théâtre s'accompagne de la conviction que les arts doivent servir l'autorité. Très vite, le roi Louis XIII installe une troupe de comédiens à l'Hôtel de Bourgogne, une autre s'empare du théâtre du Marais, et Richelieu fait transformer une

---

1. Raymond Lebègue, *Études sur le théâtre français*, Nizet, 1977.

salle de son palais en salle de spectacle... À partir de 1625, et surtout en 1628-1629, une nouvelle génération de dramaturges fait son entrée sur la scène théâtrale française : Jean Mairet, Pierre Du Ryer, Georges de Scudéry, Jean de Rotrou et Pierre Corneille, pour la plupart des avocats, séduits par un art qui offre des possibilités nouvelles. Selon eux, la tragédie telle que la pratiquaient les auteurs de la Renaissance comme Robert Garnier et Jean de La Taille est un art dépassé : trop régulière, elle prive de liberté ; trop instructive, elle néglige le plaisir du spectateur. La nouvelle génération fait figurer en tête de ses préoccupations des considérations hédonistes et défend un genre moderne : la tragi-comédie, expression de l'esprit baroque sur la scène française (texte 4).

Le classicisme : une spécificité française

La mort de Louis XIII, en 1643, modifie le contexte de la production théâtrale. Se met en place la Régence d'Anne d'Autriche, secondée par le puissant Mazarin, Premier ministre. Ce dernier est l'objet de vives critiques, à l'origine de la Fronde – révolte d'aristocrates prétendant défendre leurs intérêts et leurs privilèges. Lorsque Louis XIV accède au pouvoir, il souhaite renforcer l'autorité monarchique malmenée et, le 10 mars 1661, annonce qu'il régnera seul, sans ministre. La monarchie se dote alors de tous les moyens de légitimation politique, morale et religieuse. Les arts, et la littérature en particulier, sont mis au service du pouvoir : le mécénat d'État remplace le mécénat privé et les artistes sont regroupés en académies. Ils ont la charge de vanter les mérites du pouvoir et la grandeur du roi. Aussi obtiennent-ils des pensions et des faveurs, ainsi que la reconnaissance du public.

Créée en 1635, l'Académie française s'applique à établir des règles d'ordre, de clarté et d'unité, qui valent pour les autres arts comme l'architecture ou la peinture, où règne pareillement la raison. Les règles du théâtre classique s'imposent progressivement.

Contrairement au théâtre baroque, qui se plaît à brouiller les pistes et à mélanger les genres, le théâtre classique distingue nettement la tragédie (textes 5 et 6) de la comédie (textes 7 et 8).

Les Lumières et la Révolution française

En 1715, la mort de Louis XIV, dont la fin de règne a été fort austère, fait souffler un vent de liberté qui contribue à assouplir la stricte hiérarchie entre les genres tragique et comique. Le duc d'Orléans, régent de 1715 à 1723, remplace la sévérité par la souplesse et la détente. Dans un premier temps, Louis XV tente de faire perdurer l'« esprit régence ». L'atmosphère est à la fête, comme le montrent les tableaux de Watteau. Le théâtre devient un divertissement recherché. Les Comédiens-Italiens sont rappelés en France : ils avaient été expulsés en 1697 en raison du regard insolemment critique qu'ils posaient sur la société de l'époque. Leur influence sur certains auteurs comme Marivaux (texte 9) est essentielle. Bien que, à partir de 1730, le pouvoir cherche à restaurer l'ordre, la réflexion amorcée en faveur de la liberté des peuples et des droits de l'individu se poursuit. Le théâtre sert alors quelquefois de vecteur à l'expression d'idées nouvelles. La censure dont *Le Mariage de Figaro* (texte 10) fait l'objet témoigne de la dimension relativement révolutionnaire de la pièce.

Au cours de la deuxième moitié du XVIIIe siècle émerge un genre nouveau, théorisé par Diderot : le drame bourgeois. Selon Diderot, pour que le théâtre puisse transmettre efficacement un enseignement moral, il faut que les spectateurs soient absorbés par le spectacle et se sentent proches des personnages représentés. Les héros historiques ou mythologiques de la tragédie sont jugés trop idéaux. Leur sont préférés les personnages de condition bourgeoise, montrés dans leur sphère familiale. Le drame tend en somme un miroir à cette classe montante qu'est la bourgeoisie, et ses personnages sont confrontés aux mêmes problèmes sociaux, professionnels et domestiques que les bourgeois contemporains. Le nouveau genre participe à l'émergence de ce qui sera appelé la mise en scène. Les costumes et les décors sont de plus en plus fidèles à la réalité figurée par la pièce. En outre, le spectacle étant destiné à produire des impressions fortes, l'acteur ne doit plus se contenter de déclamer le texte. Il est incité par les didascalies à user d'un jeu corporel hautement expressif. Les répliques et les monologues, désormais en prose, sont entrecoupés de cris et de soupirs, signalés par la modalité exclamative et les points de suspension.

Le drame romantique

Le drame romantique, qui voit le jour au XIXe siècle, poursuit l'entreprise de mise en cause de l'esthétique classique engagée par le drame bourgeois. Son éclosion est liée aux remous de la vie politique. Lors de la Restauration de 1815, qui rétablit la monarchie française après l'Empire et l'épopée napoléonienne, les conservateurs, satisfaits des aspirations du nouveau régime, s'opposent aux libéraux, qui rêvent d'une monarchie libérale préservant les acquis de la Révolution et auxquels se rattachent les romantiques : à leurs yeux la Restauration incarne le retour « des vieilles croyances moribondes » (Musset). Le mouvement romantique naît ainsi du conflit entre la nostalgie d'un passé glorieux et l'aspiration à un avenir plus juste. Ses défenseurs appellent de leurs vœux la liberté politique, ce qui pour eux va de pair avec la liberté littéraire.

La liberté dans l'art, la liberté dans la société, voilà le double but auquel doivent tendre d'un même pas tous les esprits conséquents et logiques [...]. La liberté littéraire est la fille de la liberté politique (Victor Hugo, lettre préface aux *Poésies de feu Charles Dovalle*).

Les romantiques se réunissent pour former le « Cénacle ». Dans l'appartement de Victor Hugo, rue Notre-Dame-des-Champs, à Paris, ils se retrouvent pour lire Shakespeare : les drames baroques du dramaturge anglais résonnent comme un modèle à suivre. Mais les romantiques français puisent aussi leur inspiration chez leurs homologues européens, tels l'Anglais lord Byron ou l'Allemand Goethe, dont la mélancolie fait écho à leur « mal du siècle », à leurs désillusions politiques. Affirmation d'une volonté de changement qui se traduit par le refus des règles du classicisme, le drame romantique met en scène des héros en conflit avec une société dans laquelle ils ne se reconnaissent pas – héros en marge, rebelles (texte 11), bâtards (texte 12) et mélancoliques (texte 13). Les représentations de ces drames entraînent de telles batailles, les auteurs sont animés d'un tel désir de liberté, que certains, à l'instar de Musset, renoncent à la scène et à ses contraintes.

L'âge d'or du vaudeville sous le second Empire

À partir du milieu du XIXᵉ siècle, alors que la ferveur romantique s'essouffle, le vaudeville connaît son heure de gloire. Divertissement populaire, qui allie dialogue et couplets chantés, il est le fruit d'une longue évolution qui prend sa source au Moyen Âge : on appelle alors vaudeville un poème humoristique mis en musique et chanté, un divertissement léger joué dans les foires. Or, à la fin du XVIIᵉ siècle, après l'expulsion des Comédiens-Italiens, seuls les acteurs officiels du Théâtre-Français eurent le droit de jouer la comédie. Par conséquent, les comédiens et les saltimbanques qui s'adonnaient à ce genre dans les foires sur des tréteaux n'eurent plus le droit de représenter des pièces parlées. Ils réduisirent leur rôle à quelques répliques clés, inscrites sur des écriteaux présentés au public, et insérèrent dans le spectacle des chansons, reprises en chœur par le public. Par la suite, quand l'interdiction de jouer la comédie fut levée, ces pièces comportèrent à nouveau des dialogues parlés, tout en gardant leurs couplets.

Le vaudeville doit son succès au triomphe de la bourgeoisie, qui se plaît à se voir mise en scène (textes 14 et 15). À Paris, les bourgeois se retrouvent dans les théâtres du « boulevard du crime[1] » pour y applaudir leurs stars, comme Frédérick Lemaître, qui, après avoir triomphé dans les drames romantiques des années 1830, s'est tourné vers le vaudeville. Le genre tend alors à se métamorphoser : il s'éloigne de la farce pour s'apparenter de plus en plus à la comédie de mœurs, voire au drame. Les couplets chantés sont peu à peu supprimés. C'est alors que naît la dénomination « théâtre de boulevard » (texte 16).

Un théâtre naturaliste

À la fin du XIXe siècle et au début du XXe siècle, alors qu'en France triomphent le vaudeville et le théâtre de boulevard, des voix nouvelles se font entendre un peu partout en Europe : quoiqu'elles ne connaissent pas nécessairement de succès immédiat, elles parviennent à révolutionner l'esthétique théâtrale et ouvrent la voie au théâtre contemporain. Ainsi, le Norvégien Henrik Ibsen (texte 17), le Suédois August Strindberg et le Russe Anton Tchekhov (texte 18), tous trois nés dans des pays où les conditions politiques n'ont pas favorisé le développement du romantisme, participent au renouveau théâtral. Observateurs lucides de leur temps, ils évoquent l'emprise du quotidien sur les hommes, dans une langue de moins en moins symboliste et de plus en plus naturelle. Le théâtre naturaliste, promu en France par le Théâtre-Libre fondé par André Antoine en 1887, influence encore aujourd'hui l'esthétique scénique.

---

1. Le boulevard du Temple était ainsi surnommé en raison des nombreux crimes qui étaient représentés dans ses théâtres, lesquels seront détruits en 1862 par les travaux de réaménagement du baron Haussmann.

Quel théâtre après la Seconde Guerre mondiale ?

Le théâtre du xxᵉ siècle, et avec lui toute la création littéraire, est bouleversé en profondeur par la Seconde Guerre mondiale. Après l'armistice de 1945, un certain nombre de penseurs, de philosophes et d'écrivains estiment que l'on ne peut plus ni penser ni écrire comme avant. La découverte des camps de concentration, la Libération et ses conséquences semblent avoir radicalement changé les esprits : comment désormais faire confiance à l'être humain ? Le monde a-t-il encore un sens ? Ces questions hantent les esprits de dramaturges français dans les années 1950. À Paris, ils se retrouvent et dialoguent dans les cafés de Saint-Germain-des-Prés et dans des petites salles de théâtre jusque-là méconnues, comme le théâtre de la Huchette. Parmi eux, on peut citer Jacques Audiberti, René de Obaldia, Roland Dubillard, ou encore Jean Genet. Ils expriment le désir d'une écriture théâtrale moderne. Parallèlement, se créent le TNP (Théâtre national populaire), qui vise à faire connaître au plus grand nombre les classiques de la littérature, et le théâtre des Nations, qui accueille des auteurs et des metteurs en scène étrangers (Luchino Visconti, Peter Brook). Ces initiatives, parce qu'elles ouvrent les spectacles à un public plus large, dont les attentes sont moins conventionnelles, contribuent au succès du nouveau théâtre. Au même moment, en Allemagne, Bertold Brecht crée le Berliner Ensemble en RDA, afin d'y pratiquer un théâtre « épique » (texte 19), en rupture avec le théâtre « dramatique » des générations précédentes.

C'est dans ce contexte d'innovation que naît le théâtre de l'absurde, dont Eugène Ionesco (texte 20) et Samuel Beckett (texte 23) sont les maîtres. Profondément pessimiste, il expose un monde privé de toute signification, un homme sans Dieu ni but, qui se saoule de paroles insignifiantes pour oublier sa condition. Il met en accusation la société bourgeoise et le consumérisme, entièrement tendus vers une quête purement matérielle : les dramaturges de l'absurde s'emploient à montrer que posséder davantage de richesses et d'objets ne confère pas de sens à une existence désespérée.

Le théâtre contemporain

À partir des années 1950, le cinéma, qui attire un public populaire, connaît un succès grandissant. Certains y voient la mort du théâtre. Il est inévitable en tout cas qu'un dialogue s'établisse entre ces deux moyens d'expression. Des réalisateurs, à l'affût d'idées nouvelles et de bons scénarios, s'emparent de pièces à succès, ce qui en retour accroît la notoriété des dramaturges. Par exemple, la célébrité des dramaturges Tennessee Williams et Edward Albee doit beaucoup à l'actrice Elizabeth Taylor, qui incarne à l'écran Margaret dans *La Chatte sur un toit brûlant* (texte 24) et Martha dans *Qui a peur de Virginia Woolf ?* (texte 25). Ainsi, certaines pièces à l'origine réservées à un public d'initiés rencontrent un large public à travers leur adaptation cinématographique. La relative liberté dont jouit l'écriture théâtrale depuis les expérimentations de l'après-guerre oblige le cinéma à repenser son système de censure[1].

Dans les années 1970 et 1980, une nouvelle tendance voit le jour : c'est le triomphe du spectacle, qui relègue l'écriture au second plan, dans la mouvance du *Living Theater*. Au nom d'un théâtre populaire, libéré de toute frontière langagière, au nom de la remise en cause des institutions, est privilégié un théâtre du corps, un théâtre de l'instant. Ariane Mnouchkine et le Théâtre du Soleil, sans renoncer totalement au texte, innovent par des créations collectives auxquelles le public est invité à participer.

---

1. Le code Hays, en usage aux États-Unis depuis 1934 pour régir la moralité des films, est aboli en 1966. Un nouveau code, toujours en vigueur de nos jours, est mis en place en 1968, à la suite du succès des films *Qui a peur de Virginia Woolf ?* de Richard Burton et *Blow-up* de Michelangelo Antonioni.

Parallèlement, certains metteurs en scène, tels Antoine Vitez, Roger Planchon, Patrice Chéreau ou Stéphane Braunschweig, s'affirment et manifestent leur liberté par rapport à des textes classiques. Ils ne cherchent plus à restaurer ces derniers dans une illusoire authenticité mais veulent les rendre accessibles aux spectateurs contemporains, au même titre que de jeunes auteurs comme Bernard-Marie Koltès.

Aujourd'hui, il semble établi que rien ne contraint plus l'écriture théâtrale et que l'on peut « faire théâtre de tout » (Antoine Vitez). Les metteurs en scène s'emparent de récits, de journaux, de textes classiques ou contemporains. Ils font appel à des chorégraphes, à des chanteurs, à des acrobates, s'efforcent de repousser les dernières barrières qui limitent le champ de la création théâtrale. On parle de « théâtre postdramatique » (H.-T. Lehmann) : la représentation aurait gagné une totale indépendance par rapport au texte et constituerait en elle-même une œuvre d'art. Mais ce courant de liberté laisse planer un doute sur l'écriture théâtrale : si tout peut être théâtre, comment alors définir le théâtre ?

Par ce bref parcours chronologique des principales étapes traversées par le théâtre depuis ses origines jusqu'à nos jours, on perçoit l'importance des variations rencontrées par le dialogue dramatique en fonction du contexte de création. Ces modifications ont une incidence directe sur la représentation des scènes de la vie conjugale, comme le montrera l'analyse des extraits de pièces de cette anthologie, envisagés dans leur évolution historique.

Scènes
de la vie conjugale

La farce

Née au Moyen Âge, d'abord conçue comme prolongement du mystère chrétien avant d'être représentée seule, la farce est l'ancêtre du genre comique. Forme brève de la comédie, elle a pour unique but de faire rire. Pour y parvenir, elle recourt à divers procédés : un comique visuel – le visage des protagonistes est enfariné ou taché d'encre, et les acteurs revêtent des costumes bariolés ; une gestuelle appuyée – dans *La Farce du Cuvier*, la femme de Jacquinot menace sans cesse de battre son mari ; un comique de caractère – la farce met en scène des personnages stéréotypés (le mari trompé, la femme frivole, le jeune premier naïf...) ; enfin, un comique de mots – les calembours obscènes y sont nombreux.

■ *La Farce du Cuvier*, scène 2 (anonyme, milieu du XVᵉ siècle)

Avec l'aide de sa mère, une femme décide de prendre le pouvoir sur son mari, Jacquinot. Dans le monologue qui constitue la première scène, celui-ci a exprimé ses inquiétudes devant la domination progressive que les deux femmes exercent sur lui. Confirmant ses craintes, son épouse et sa belle-mère le contraignent à consigner par écrit toutes les tâches qu'il doit accomplir (scène 2). Finalement, Jacquinot parviendra à rétablir son autorité, qu'il négociera en échange de son aide quand il sauvera sa femme de la noyade.

Le comique de la scène repose sur un double retournement des valeurs – à Jacquinot, sa femme impose toutes sortes de tâches habituellement réservées aux femmes et cette situation, alors qu'elle est tout à fait originale, est présentée comme une loi absolue, entérinée par une série de sentences proverbiales. Ce travestissement de la règle permet de comprendre les reproches qu'on a pu faire au théâtre, souvent accusé d'être subversif et dangereux.

Le comique de la scène repose aussi sur les énumérations et les exagérations, ainsi que sur les références sans retenue au corps et sur la multiplication des allusions obscènes : le mari doit non seulement laver les «langes merdeux» de son enfant mais aussi honorer sa femme de cinq ou six «giclée[s]» par jour!

LA FEMME *de Jacquinot entre, suivie de près par sa mère.* – Diable! que de paroles! Taisez-vous! ce sera plus sage.

LA MÈRE, *à sa fille.* – Qu'y a-t-il?

LA FEMME. – Quoi? et que sais-je? Il y a toujours tant à faire! et
5   il ne pense pas au nécessaire indispensable à la maison.

LA MÈRE, *à son gendre.* – Oui, il n'y a pas là raison ni matière à discuter. Par Notre-Dame! il faut obéir à sa femme, comme le doit faire un bon mari. Si même un jour elle vous bat, quand vous ferez ce qu'il ne faut pas…

10 JACQUINOT. – Oh, oh! sachez bien que je ne le souffrirai[1] de ma vie.

LA MÈRE. – Et pourquoi? Par sainte Marie! pensez-vous que, si elle vous châtie et vous corrige[2] en temps et lieu, cela soit par méchanceté? Non, parbleu! ce n'est qu'une preuve d'amour.

15 JACQUINOT. – C'est bien dit, ma mère Jacquette. Mais ce n'est rien dire à propos que de parler si peu franchement[3]. Qu'entendez-vous par là? je vous demande explication.

---

1. *Je ne le souffrirai* : je ne le supporterai pas.
2. *Elle vous châtie et vous corrige* : elle vous punit et vous bat.
3. *Franchement* : clairement.

LA MÈRE. – J'entends bien. Je veux dire que la première année de mariage une querelle, cela n'est rien. Entendez-vous, mon
20   gros bêta ?

JACQUINOT. – Bêta ! vertu saint Paul, mais qu'est-ce à dire ? Vous m'accoutrez en beau messire[1] que de me faire si vite devenir bêta ! J'ai nom Jacquinot, mon vrai nom : l'ignorez-vous ?

LA MÈRE. – Non, mon ami, non ! mais vous êtes néanmoins un
25   bêta marié.

JACQUINOT. – Parbleu ! je n'en suis que trop fâché !

LA MÈRE. – Certes, Jacquinot, mon ami ; mais vous êtes homme maîtrisé[2].

JACQUINOT. – Maîtrisé ! vertu saint Georges ! J'aimerais mieux
30   qu'on me coupât la gorge ! Maîtrisé ! bénie soit Notre-Dame !

LA FEMME. – Il faut agir au gré de[3] sa femme ; oui, vraiment, quand elle vous le commande.

JACQUINOT, *comme à lui-même*. – Ah ! saint Jean ! elle me commande bien trop d'affaires en vérité.

35 LA MÈRE. – Eh bien ! pour mieux vous en souvenir, il vous faudra prendre un rôlet[4] et inscrire sur un feuillet tout ce qu'elle vous commandera.

JACQUINOT. – Qu'à cela ne tienne ! cela sera. Je vais commencer à écrire.

40 *(Il va à la table, s'assied, prend un rouleau de papier et une plume d'oie.)*

LA FEMME. – Écrivez donc, pour qu'on puisse lire. Mettez que vous m'obéirez, que jamais vous ne refuserez de faire tout ce que moi, je voudrai.

JACQUINOT, *prêt à jeter sa plume*. – Ah ! corbleu, je n'en ferai rien,
45   sauf si c'est chose raisonnable.

---

1. *Vous m'accoutrez en beau messire* : vous me donnez un titre bien noble (ironique).
2. *Maîtrisé* : soumis.
3. *Au gré de* : selon le bon vouloir de.
4. *Rôlet* : petit rouleau de papier, feuillet sur lequel est écrite la liste des tâches que doit accomplir Jacquinot.

LA FEMME. – Mettez donc là, pour abréger et éviter de me fatiguer, qu'il faudra toujours vous lever le premier pour faire la besogne.

JACQUINOT. – Par Notre-Dame de Boulogne, à cet article je m'oppose. Lever le premier ! et pour quelle chose ?

50 LA FEMME. – Pour chauffer au feu ma chemise.

JACQUINOT. – Me direz-vous que c'est l'usage ?

LA FEMME. – C'est l'usage, et la bonne façon. Retenez bien cette leçon.

LA MÈRE. – Écrivez !

55 LA FEMME. – Mettez, Jacquinot !

JACQUINOT. – J'en suis encore au premier mot ! Vous me pressez de façon sans pareille.

LA MÈRE. – La nuit, si l'enfant se réveille, il vous faudra, comme on le fait un peu partout, prendre la peine de vous lever pour
60 le bercer, le promener dans la chambre, le porter, l'apprêter, fût-il minuit !

JACQUINOT. – Alors, plus de plaisir au lit ! apparemment c'est ce qui m'attend.

LA FEMME. – Écrivez !

65 JACQUINOT. – En conscience[1], ma page est remplie jusqu'en bas. Que voulez-vous donc que j'écrive ?

LA FEMME, *menaçante*. – Mettez ! ou vous serez frotté[2].

JACQUINOT. – Ce sera pour l'autre côté. *(Et il retourne le feuillet.)*

LA MÈRE. – Ensuite, Jacquinot, il vous faut pétrir, cuire le pain,
70 lessiver…

LA FEMME. – Tamiser, laver, décrasser…

LA MÈRE. – Aller, venir, trotter, courir, et vous démener comme un diable.

LA FEMME. – Faire le pain, chauffer le four…

75 LA MÈRE. – Mener la mouture[3] au moulin…

---

1. *En conscience* : en toute honnêteté.
2. *Vous serez frotté* : vous serez battu.
3. *Mouture* : farine obtenue à partir des grains de céréales ou de blé.

La Femme. – Faire le lit de bon matin, sous peine d'être bien battu.

La Mère. – Et puis mettre le pot au feu et tenir la cuisine nette.

Jacquinot, *n'écrivant plus assez vite.* – Si je dois mettre tout cela, il faut le dire mot à mot.

80 La Mère. – Bon ! écrivez donc, Jacquinot : pétrir…

La Femme. – Cuire le pain…

Jacquinot, *vérifiant ce qu'il a déjà écrit.* – Lessiver.

La Femme. – Tamiser…

La Mère. – Laver…

85 La Femme. – Décrasser…

Jacquinot, *feignant de ne plus suivre.* – Laver quoi ?

La Mère. – Les pots et les plats.

Jacquinot. – Attendez, ne vous hâtez pas. *(Écrivant.)* Les pots, les plats…

90 La Femme. – Et les écuelles[1].

Jacquinot. – Palsambleu ! moi qui suis sans cervelle, je ne saurais tout retenir.

La Femme. – Aussi, écrivez pour vous en souvenir. Entendez-vous ? car je le veux.

95 Jacquinot. – Bien. Laver les…

La Femme. – Langes merdeux de notre enfant à la rivière.

Jacquinot. – À Dieu ne plaise ! La matière et les mots ne sont pas honnêtes.

La Femme. – Écrivez donc ! Allez, sotte bête ! Avez-vous honte de
100 cela ?

Jacquinot. – Corbleu ! moi, je n'en ferai rien. Mensonge, si vous le croyez : je ne l'écrirai pas, je le jure.

La Femme, *de nouveau menaçante.* – Il faut que je vous fasse injure. Je vais vous battre plus que plâtre.

105 Jacquinot. – Eh bien ! je n'en veux plus débattre. Je vais l'écrire, n'en parlez plus.

---

1. Écuelles : sortes d'assiettes larges et creuses.

LA FEMME. – Il ne restera, au surplus, que le ménage[1] à mettre en
ordre ; et maintenant, à m'aider à tordre la lessive auprès du
cuvier[2], vif et prompt comme un épervier. Écrivez !

110 JACQUINOT. – Ça y est : fini !

LA MÈRE, *avec un air entendu.* – Et puis aussi… vous savez quoi ?
faire à ma fille la bonne chose[3] quelquefois, à la dérobée.

JACQUINOT, *à sa femme.* – Vous n'en aurez qu'une giclée par
quinzaine ou même par mois.

115 LA FEMME. – Plutôt par jour cinq ou six fois ! C'est ce que je veux,
et pour le moins.

JACQUINOT. – Il n'en sera rien, par le Dieu sauveur ! Cinq ou six
fois, vertu saint Georges ! Cinq ou six fois ! Ni deux ni trois ;
corbleu, non, il n'en sera rien.

120 LA FEMME. – Puisse-t-on n'avoir du rustre que mauvaise joie ! Ce
paillard[4] impuissant n'a plus rien qui vaille.

JACQUINOT. – Corbleu ! je suis bien sot et niais de me laisser ainsi
durement mener. Il n'est pas d'homme au monde aujourd'hui,
qui pourrait prendre plaisir ici. Pour quelle raison ? c'est que

125 jour et nuit je devrai me rappeler ma leçon.

LA MÈRE. – Ce sera écrit, puisqu'il me plaît. Dépêchez-vous, et
puis signez.

JACQUINOT. – Le voilà signé. Tenez ! *(Il pose le rôlet sur la table ; puis
il s'adresse aux deux femmes.)* Prenez garde qu'il ne soit perdu.

130 Car, en devrais-je être pendu, dès cet instant je me propose de
ne jamais faire autre chose que ce qui est dans mon rôlet.

LA MÈRE, *à son gendre en s'en allant.* – Observez-le bien, tel qu'il est.

LA FEMME, *à sa mère.* – Allez ! je vous recommande à Dieu.

La Farce du Cuvier, in *La Farce du Cuvier et autres farces du Moyen Âge*,
translation André Tissier, GF-Flammarion,
coll. «Étonnants Classiques», 2001

---

1. *Ménage* : intérieur de la maison.

2. *Cuvier* : petite cuve dans laquelle on fait la lessive.

3. *La bonne chose* : l'amour.

4. *Paillard* : débauché.

Le théâtre baroque

« La Vie est un songe[1] »

Le théâtre baroque naît à la fin du XVIe siècle, dans une période de mutations politiques et économiques. Reflet de l'époque dans laquelle il s'inscrit, il en traduit les angoisses et les conflits : dans sa forme comme dans ses thèmes, il repose sur le mouvement, et souligne le caractère trompeur de la réalité et l'impuissance humaine à maîtriser le monde. De fait, les nombreuses mises en abyme du théâtre dans le théâtre rendent compte de la comédie de l'existence, où chacun tient un rôle et n'est que ce qu'il paraît. Ainsi, dans *Roméo et Juliette* (p. 35), la mort de l'héroïne s'apparente d'abord à un jeu théâtral (Juliette se transforme en comédienne : sous les ordres de Frère Laurent, qui s'improvise metteur en scène, elle feint d'être morte) avant de devenir réalité – une réalité qui reste théâtrale. Dans la même perspective, la limite entre la raison et la folie est elle aussi fluctuante : dans *Othello* (p. 39), le héros éponyme, général courageux, stratège subtil, est progressivement rongé par une jalousie sans fondement, qui le rend aveugle à la réalité.

Dynamisme scénique

Théâtre du mouvement, le drame baroque se caractérise par son dynamisme scénique. En témoignent les nombreux changements de décor de *Roméo et Juliette* : l'intrigue se joue sur la place publique – qui met

---

1. *La Vie est un songe* : titre d'un drame de Calderón (v. 1633).

face à face deux familles ennemies, les Capulet et les Montaigu –, mais aussi dans la demeure des Capulet, dans la cellule de Frère Laurent, et à Mantoue, où Roméo est exilé. Les personnages, nombreux, appartiennent à des classes sociales différentes : à côté du Prince et des riches familles nobles, dignes de figurer dans une tragédie, se trouvent des valets et des musiciens, caractères traditionnels de la comédie. Ces personnages sont libres de leurs allées et venues : leurs entrées et leurs sorties n'occasionnent pas de changement de scène. À ce foisonnement de personnages et de décors s'ajoutent des images frappantes : Shakespeare fait commencer *Roméo et Juliette* par une rixe qui oppose les représentants des Capulet et des Montaigu. Le spectateur est placé en position de témoin direct des événements sanglants qui rythment l'intrigue.

Exhibition du corps

Nulle pudeur n'expose les corps à la censure : le théâtre baroque exhibe ces derniers, en fait des objets de désir capables de donner à l'amour sa pleine dimension, notamment charnelle. Sur scène, Othello accuse sa femme d'avoir été « possédée » par un autre que lui, et Roméo quitte Juliette au matin de leur nuit de noces. Mis à nu, les corps sont aussi violentés devant le spectateur : Othello « *étouffe* » Desdémone qu'il croit infidèle. Ni le sexe ni la mort ne sont tabous dans le théâtre baroque.

Esthétique du mélange

« Foisonnante » : c'est l'adjectif qui exprime le mieux l'esthétique baroque, tout en contrastes. Dans ce théâtre, les vers côtoient la prose ; aux morceaux de poésie et de lyrisme purs se mêlent des discours prosaïques ; aux duos amoureux succèdent des scènes de combat impressionnantes. À mi-chemin entre la tragédie et la comédie, la pièce baroque offre un assemblage hétéroclite, qui, au regard de l'esthétique classique, apparaît rétrospectivement comme un « monstre ».

Genre baroque par excellence, la tragi-comédie – promue en France par une nouvelle génération de dramaturges à la fin des années 1620 – mêle habilement les registres opposés, dans une profusion rhétorique caractéristique de ce théâtre, et construit des intrigues complexes. Qualifiée par son auteur de « tragi-comédie », la première version du *Cid* (1637) de Pierre Corneille, qui déchaîna les foudres des partisans du théâtre classique, révèle l'héritage baroque de l'auteur de *L'Illusion comique* (1636). La situation tragique des deux amants y trouve une issue heureuse dans l'annonce de leur mariage. Rodrigue et Chimène sont les héros d'une intrigue romanesque : le premier doit surmonter plusieurs périls (un duel puis une guerre) et la seconde est victime d'un piège (le roi lui fait croire que Rodrigue est mort à la guerre) puis d'un quiproquo (elle pense que Rodrigue a succombé aux blessures infligées par l'un de ses prétendants). Enfin, l'action accorde une grande place au spectaculaire, multipliant les duels.

■ Shakespeare, *Roméo et Juliette*, acte III, scène 5 (1594)

Le dramaturge, comédien et directeur de troupe anglais William Shakespeare (1564-1616) compose l'une de ses premières tragédies, *Roméo et Juliette*, en 1594. Il est alors membre de la compagnie du lord Chambellan, qui organise les festivités pour la cour.

Roméo et Juliette, dont l'amour est né « sous la mauvaise étoile », se sont mariés en secret car leurs familles se vouent une haine séculaire. Au terme de leur nuit de noces, ils doivent se séparer : Roméo est condamné à l'exil pour avoir tué le cousin de Juliette. Images suggestives, ponctuation expressive et musicalité des vers transforment ce duo en scène lyrique. Au chant amoureux se joint le pressentiment de la mort, dans une alliance des contraires caractéristique du baroque : à ce moment incertain où la nuit se mêle encore au jour, le jardin printanier où fuit Roméo préfigure le tombeau de Juliette, qui réunira plus tard les deux amants (« Il me semble, à présent que te voilà si bas,/Te voir comme un mort dans le fond d'une tombe »). Au-delà des enjeux qu'elle dévoile, cette scène nous éclaire sur les conditions de représentation à l'époque de Shakespeare : à la différence des théâtres français, les théâtres anglais élisabéthains comportaient une galerie surélevée permettant les jeux de balcon. En outre, les spectacles étaient représentés l'après-midi dans un théâtre à ciel ouvert : des torches allumées servaient à figurer la nuit. La belle Juliette était représentée par un jeune homme, comme tous les rôles féminins. En somme, le spectateur était invité à reconstituer en imagination la réalité suggérée par les images du texte et les quelques éléments symboliques présents sous ses yeux.

La chambre de Juliette. Entrent Roméo et Juliette.

JULIETTE

Tu veux partir ? Ce n'est pas près d'être le jour.
C'était le rossignol et non pas l'alouette
Qui a percé le fond craintif de ton oreille ;
Il chante la nuit sur ce grenadier[1],
5 Crois-moi, amour, c'était le rossignol.

ROMÉO

C'était l'alouette messagère de l'aube
Et non le rossignol ; vois quelles raies jalouses,
Amour,
Brodent sur les nuées en l'orient lointain ;
10 Les cierges de la nuit sont brûlés, le gai matin
Fait des pointes sur les montagnes embrumées.
Il faut vivre et partir – ou mourir et rester[2].

---

1. Grenadier : petit arbre épineux à fleurs rouges, qui produit les grenades ; dans la mythologie grecque, il est l'un des symboles d'Aphrodite, la déesse de l'amour et de la beauté.
2. Roméo est condamné à l'exil et doit partir à Mantoue.

■ Mise en scène résolument moderne de *Roméo et Juliette* au théâtre du Nord (à Lille) par Stuart Seide en 1999. Ce dernier considère la pièce de Shakespeare comme un éloge intemporel « de l'impulsivité et de l'irresponsabilité », une « comédie qui tourne mal », dans laquelle cinq jeunes gens paient de leur vie la rivalité de deux familles ennemies qui ne se réconcilient que sur le tombeau de leurs enfants, Roméo (Frédéric Cherboeuf) et Juliette (Julie-Anne Roth).

Cette clarté n'est pas le jour, moi je le sais.

C'est quelque météore que le soleil exhale

15 Pour qu'il soit ton porteur de torche en cette nuit

Et t'éclaire sur ta route de Mantoue.

Oh reste. Tu ne dois pas partir encore.

ROMÉO

Que je sois donc saisi et mis à mort,

Je suis heureux, si c'est ta volonté.

20 Je dirai que ce gris n'est pas l'œil du matin

Mais seulement le pâle reflet du front de Cynthia[1] ;

Et ce n'est pas non plus l'alouette qui frappe

De ses notes le ciel voûté si haut sur nos têtes.

J'ai plus désir de rester que volonté de partir :

25 Viens mort, et bienvenue ! Juliette le veut ainsi.

Que dit mon âme ? Parlons encor[2]. Ce n'est pas le jour.

JULIETTE

C'est lui, le jour ! Fuis, va-t'en, va-t'en vite !

Oui c'est bien l'alouette qui chante faux

Et force sa note aiguë et discordante.

30 On dit que son chant fait de douces divisions,

Celle-ci n'en fait pas puisqu'elle nous divise ;

On dit que l'alouette et le crapaud hideux

Ont échangé leurs yeux ; maintenant je voudrais

Qu'ils eussent fait aussi échange de leurs voix,

35 Puisque les bras loin des bras, cette voix nous effare,

Te chassant avec la fanfare de chasse du jour.

Oh pars. Il fait plus clair, toujours plus clair.

---

1. *Cynthia* : un des noms d'Artémis, déesse de la Lune et de la chasse associée à la chasteté dans la mythologie grecque.
2. Élision du *e* final ; licence poétique.

Plus clair, toujours plus clair ;
Plus noire, toujours plus noire, notre désolation.

Roméo et Juliette, trad. Pierre Jean Jouve, Georges Pitoëff,
GF-Flammarion, coll. « Étonnants Classiques », 2000.

■ Shakespeare, *Othello*, acte V, scène 2 (1603)

Près de dix ans après *Roméo et Juliette*, Shakespeare fait représenter par sa troupe sa tragédie en cinq actes intitulée *Othello, ou le Maure de Venise*. Le soldat Iago, jaloux de la promotion accordée à Cassio par son capitaine, le Maure Othello, veut se venger. Il cherche à convaincre Othello que son épouse Desdémone le trompe avec Cassio : pour cela, il lui fait croire qu'elle a donné à son amant le mouchoir qu'Othello lui avait offert en symbole de leur amour conjugal. À la fin de la pièce, Othello, que la jalousie aveugle, tue sa femme, avant d'apprendre qu'il a été manipulé. Il fait torturer puis tuer Iago et se suicide.

Précédant le meurtre de Desdémone, l'ultime dialogue entre le Maure de Venise et sa femme est propre à capter l'attention du public élisabéthain très dissipé, occupé, debout devant la scène, à bavarder, à boire de la bière ou à manger des noix. L'intensité dramatique s'accroît progressivement : de la peur que la jeune femme manifeste, lorsqu'elle interroge son mari avant de tenter de l'apaiser par des déclarations d'amour, à ses pleurs désespérés qui, loin d'attendrir Othello, attisent sa colère et le poussent au meurtre, en passant par les explications qu'elle réclame au jaloux et celles qu'Othello exige d'elle, la tension ne cesse d'augmenter.

À la violence verbale de la scène s'ajoute la violence physique. Bien plus, l'évocation du mouchoir, objet trivial dans lequel réside, selon Othello, la preuve irréfutable de la trahison de Desdémone, souligne l'absence de considération du théâtre baroque pour les règles de bienséance qu'imposera l'esthétique classique française.

DESDÉMONE

Qui est là ? Othello ?

OTHELLO

Oui, Desdémone.

DESDÉMONE

Venez-vous au lit, monseigneur ?

OTHELLO

Avez-vous fait votre prière ce soir, Desdémone ?

DESDÉMONE

5 Oui, monseigneur.

OTHELLO

Si vous avez souvenance[1] de quelque crime
Que n'aurait pas encore absous[2] la grâce divine,
Implorez-la sans attendre.

DESDÉMONE

Hélas, monseigneur, que cherchez-vous à me dire ?

OTHELLO

10 Oui, fais-le, et en hâte. En attendant
Je ferai quelques pas. Car je ne veux pas tuer ton âme,
Il faut qu'elle se prépare. Non, le Ciel m'en préserve,
Je ne veux pas tuer ton âme.

DESDÉMONE

Parlez-vous de tuer ?

OTHELLO

15 Oui, je le fais.

---

1. *Souvenance* : souvenir.
2. *Absous* : effacé par le pardon.

DESDÉMONE

Que le Ciel ait pitié de moi !

OTHELLO

Amen ! De tout mon cœur.

DESDÉMONE

Si vous avez de ces mots, j'espère que vous ne me tuerez pas.

OTHELLO

Hum !

DESDÉMONE

20 Et pourtant je vous crains. Car il y a en vous
Quelque chose de terrible quand vous roulez
Les yeux comme vous faites. Pourquoi aurais-je peur,
Je ne sais pas, puisque je n'ai rien fait de coupable.
Et pourtant je sens que j'ai peur.

OTHELLO

25 Pense à tes péchés.

DESDÉMONE

Je ne sais que les mouvements de tendresse
Qui me portent vers vous.

OTHELLO

C'est pour eux que tu vas mourir.

DESDÉMONE

C'est une mort contre nature, être tué parce que l'on aime.
30 Hélas, pourquoi vous mordez-vous ainsi les lèvres ?
La colère secoue tout votre corps, elle injecte vos yeux,
Ce sont de mauvais signes. Et pourtant j'espère, j'espère,
Que je ne suis pas leur cause.

OTHELLO

Reste calme, détendue.

DESDÉMONE

35 Je serai calme. Qu'y a-t-il eu ?

OTHELLO

Ce mouchoir que j'aimais tant, et que je t'avais donné,
Tu l'as donné à Cassio.

DESDÉMONE

Non ! sur ma vie, sur mon âme !
Envoyez-le chercher, demandez-lui.

OTHELLO

40 Chère âme, gare, gare au parjure[1],
Tu es sur ton lit de mort.

DESDÉMONE

Oui, mais pas pour mourir encore.

OTHELLO

Si, tout à l'heure.
Et c'est pourquoi confesse ton péché en toute franchise,
45 Car en dénier tout, même sous serment
Ne pourrait éloigner ni étouffer
La conviction qui me fait gémir. Tu dois mourir.

DESDÉMONE

Mon Dieu, ayez pitié de moi.

OTHELLO

Je dis «Amen».

_____

1. *Parjure* : faux serment.

DESDÉMONE

50 Et vous aussi, ayez pitié de moi.
Je ne vous ai jamais offensé de ma vie.
Je n'ai jamais aimé Cassio, sinon
De l'amitié que le Ciel autorise.
Je ne lui ai jamais donné de gage.

OTHELLO

55 Par le Ciel ! J'ai vu mon mouchoir entre ses mains.
Ô femme qui te parjures, tu fais de mon cœur une pierre.
Et me contrains d'appeler ce que je veux faire
Un meurtre, quand je pensais à un sacrifice.
J'ai bien vu le mouchoir.

DESDÉMONE

60 Il l'aura trouvé.
Je ne le lui ai jamais donné. Faites-le venir.
Qu'il avoue, qu'il dise la vérité.

OTHELLO

Avouer, il l'a fait.

DESDÉMONE

Avoué quoi, monseigneur ?

OTHELLO

65 Qu'il t'a… possédée.

DESDÉMONE

Comment ? De façon coupable ?

OTHELLO

Oui.

DESDÉMONE

Il ne dira pas cela !

OTHELLO

Non, sa bouche est fermée.
70 L'honnête Iago en a pris soin.

DESDÉMONE

Oh, ma peur croit comprendre. Quoi, est-il mort ?

OTHELLO

Aurait-il eu autant de vies que de cheveux,
Ma faim insatiable de vengeance
Aurait pu les engouffrer toutes.

DESDÉMONE

75 Hélas, on l'a trahi, et je suis perdue.

OTHELLO

Putain ! Tu oses le pleurer devant moi.

DESDÉMONE

Oh, bannissez-moi, monseigneur, mais ne me tuez pas.

OTHELLO

Loin de moi, pute.

DESDÉMONE

Tuez-moi demain mais laissez-moi vivre cette nuit.

OTHELLO

80 Vous résistez !

DESDÉMONE

Rien qu'une demi-heure, le temps d'une prière.

OTHELLO

Trop tard !

Il l'étouffe.

Othello, trad. François Victor Hugo,
GF-Flammarion, 1964.

■ Corneille, *Le Cid*, acte III, scène 4 (1637)

Dans *Le Cid*, l'une des premières pièces de Pierre Corneille (1606-1684), Don Rodrigue, par devoir filial, est contraint de tuer celui qui a humilié son père. Or, la victime de sa vengeance n'est autre que le père de sa bien-aimée Chimène. L'amour entre les deux jeunes gens devient impossible. Mais grâce à la valeur qu'il manifeste dans un combat épique contre les Maures, Rodrigue gagne les faveurs du roi qui cherche alors à rapprocher les deux amants.

Le triomphe de la pièce, lors de ses premières représentations en 1637, est à la hauteur de la polémique qu'elle suscite – la « Querelle du *Cid* » –, provoquée par deux dramaturges rivaux de Corneille : Jean Mairet accuse l'auteur de plagiat, et Georges de Scudéry condamne ses infractions à la règle des trois unités (action, temps et lieu ; p. 55). Par la voix de Jean Chapelain, l'Académie française donne raison aux détracteurs de Corneille. Elle critique le manque de vraisemblance et de bienséance de la pièce et, en particulier, le peu d'hésitation de Chimène à épouser le meurtrier de son père. Déçu, Corneille s'enferme dans le silence avant de répondre, en 1648, dans un « Avertissement » à la nouvelle édition de sa pièce, qu'il appelle désormais « tragédie » et non plus « tragi-comédie » : il justifie le caractère de Chimène en prenant appui sur la source historique de son intrigue. En 1660, il modifie le dénouement : les amants sont séparés, pour rendre le comportement de l'héroïne plus conforme aux bienséances.

Dans la scène 4 de l'acte III, l'une de celles qui cristallisa les débats, Rodrigue s'introduit dans la demeure de la jeune femme en deuil pour lui donner la possibilité de venger la mort de son père. Par-delà leur conflit, les deux héros défendent les mêmes valeurs : l'amour et l'honneur. Toutefois, Rodrigue place le second au-dessus de tout quand Chimène privilégie le premier en démissionnant face à son devoir et en renonçant à tuer son amant. À plusieurs égards, la scène choque les bienséances : Rodrigue tient à la main une épée ensanglantée ; il entre, de nuit, chez sa maîtresse ; cette dernière déclare sa flamme à l'assassin de son père. Très animé, le dialogue brise le rythme de l'alexandrin et mêle les registres tragique et polémique.

Don Rodrigue

Eh bien, sans vous donner la peine de poursuivre,
860 Soûlez-vous du plaisir de m'empêcher de vivre.

Chimène

Elvire[1], où sommes-nous ? et qu'est-ce que je vois ?
Rodrigue en ma maison ! Rodrigue devant moi !

Don Rodrigue

N'épargnez point mon sang, goûtez sans résistance
La douceur de ma perte, et de votre vengeance.

Chimène

865 Hélas !

Don Rodrigue

    Écoute-moi.

Chimène

    Je me meurs.

Don Rodrigue

        Un moment.

Chimène

Va, laisse-moi mourir.

Don Rodrigue

        Quatre mots seulement,
Après ne me réponds qu'avecque cette épée.

---

1. Chimène s'adresse ici à sa suivante.

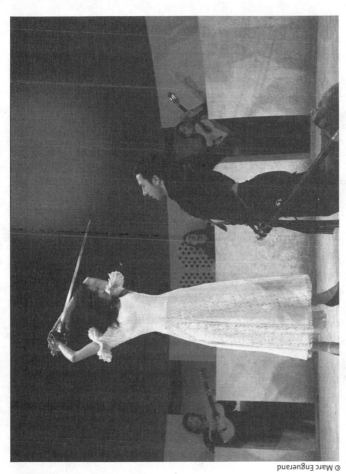

■ Mise en scène flamenco du *Cid* par Thomas Le Douarec, en 1998, au théâtre de la Madeleine à Paris, avec Gilles Nicoleau (Don Rodrigue) et Vanessa Grégory (Chimène).

CHIMÈNE

Quoi ? du sang de mon père encor[1] toute trempée !

DON RODRIGUE

Ma Chimène.

CHIMÈNE

Ôte-moi cet objet odieux
870 Qui reproche ton crime et ta vie à mes yeux.

DON RODRIGUE

Regarde-le plutôt pour exciter ta haine,
Pour croître ta colère, et pour hâter ma peine.

CHIMÈNE

Il est teint de mon sang.

DON RODRIGUE

Plonge-le dans le mien,
Et fais-lui perdre ainsi la teinture du tien.

CHIMÈNE

875 Ah quelle cruauté, qui tout en un jour tue
Le père par le fer[2], la fille par la vue !
Ôte-moi cet objet, je ne le puis souffrir,
Tu veux que je t'écoute et tu me fais mourir.

DON RODRIGUE

Je fais ce que tu veux, mais sans quitter l'envie
880 De finir par tes mains ma déplorable[3] vie ;
Car enfin n'attends pas de mon affection
Un lâche repentir d'une bonne action[4] :

---

1. Élision du *e* final pour des raisons de versification.
2. *Fer* : épée.
3. *Déplorable* : digne d'être pleurée.
4. *N'attends pas de mon affection/* [...] *une bonne action* : n'attends pas que, au nom de l'amour que j'ai pour toi, je me repente d'avoir accompli ce qui me semblait bon.

De la main de ton père un coup irréparable[1]
  Déshonorait du mien la vieillesse honorable,
885 Tu sais comme un soufflet[2] touche un homme de cœur ;
  J'avais part à l'affront, j'en ai cherché l'auteur,
  Je l'ai vu, j'ai vengé mon honneur et mon père ;
  Je le ferais encor, si j'avais à le faire.
  Ce n'est pas qu'en effet contre mon père et moi
890 Ma flamme assez longtemps n'ait combattu pour toi :
  Juge de son pouvoir, dans une telle offense
  J'ai pu douter encor si j'en prendrais vengeance
  Réduit à te déplaire, ou souffrir un affront,
  J'ai retenu ma main, j'ai cru mon bras trop prompt,
895 Je me suis accusé de trop de violence :
  Et ta beauté sans doute emportait la balance,
  Si je n'eusse opposé contre tous tes appas[3]
  Qu'un homme sans honneur ne te méritait pas,
  Qu'après m'avoir chéri quand je vivais sans blâme
900 Qui m'aima généreux, me haïrait infâme,
  Qu'écouter ton amour, obéir à sa voix,
  C'était m'en rendre indigne et diffamer[4] ton choix.
  Je te le dis encore, et veux, tant que j'expire,
  Sans cesse le penser et sans cesse le dire,
905 Je t'ai fait une offense, et j'ai dû m'y porter[5],
  Pour effacer ma honte et pour te mériter.
  Mais quitte envers l'honneur, et quitte envers mon père,
  C'est maintenant à toi que je viens satisfaire,
  C'est pour t'offrir mon sang qu'en ce lieu tu me vois,
910 J'ai fait ce que j'ai dû, je fais ce que je dois.
  Je sais qu'un père mort t'arme contre mon crime,

---

1. Le père de Chimène a giflé celui de Rodrigue.
2. *Soufflet* : gifle.
3. *Appas* : attraits, charmes.
4. *Diffamer* : discréditer.
5. *M'y porter* : m'y résigner.

Je ne t'ai pas voulu dérober ta victime,
Immole[1] avec courage au sang qu'il a perdu
Celui qui met sa gloire à l'avoir répandu.

CHIMÈNE

915 Ah Rodrigue ! il est vrai, quoique ton ennemie,
Je ne te puis blâmer d'avoir fui l'infamie[2],
Et de quelque façon qu'éclatent mes douleurs,
Je ne t'accuse point, je pleure mes malheurs.
Je sais ce que l'honneur après un tel outrage
920 Demandait à l'ardeur d'un généreux courage,
Tu n'as fait le devoir que d'un homme de bien,
Mais aussi le faisant tu m'as appris le mien.
Ta funeste valeur m'instruit par ta victoire ;
Elle a vengé ton père et soutenu ta gloire,
925 Même soin me regarde, et j'ai, pour m'affliger,
Ma gloire à soutenir, et mon père à venger.
Hélas ! ton intérêt ici me désespère.
Si quelque autre malheur m'avait ravi mon père,
Mon âme aurait trouvé dans le bien de te voir
930 L'unique allégement qu'elle eût pu recevoir,
Et contre ma douleur j'aurais senti des charmes
Quand une main si chère eût essuyé mes larmes.
Mais il me faut te perdre après l'avoir perdu ;
Et pour mieux tourmenter mon esprit éperdu,
935 Avec tant de rigueur mon astre[3] me domine,
Qu'il me faut travailler moi-même à ta ruine ;
Car enfin n'attends pas de mon affection
De lâches sentiments pour ta punition :
De quoi qu'en ta faveur notre amour m'entretienne
940 Ma générosité doit répondre à la tienne,

---

1. *Immole* : fais périr, tue en sacrifice à ton père.
2. *Infamie* : déshonneur.
3. *Mon astre* : mon destin.

Tu t'es en m'offensant montré digne de moi,
Je me dois par ta mort montrer digne de toi.

DON RODRIGUE

Ne diffère donc plus ce que l'honneur t'ordonne,
Il demande ma tête et je te l'abandonne,
945 Fais-en un sacrifice à ce noble intérêt,
Le coup m'en sera doux aussi bien que l'arrêt.
Attendre après mon crime une lente justice
C'est reculer ta gloire autant que mon supplice ;
Je mourrai trop heureux mourant d'un coup si beau.

CHIMÈNE

950 Va, je suis ta partie[1], et non pas ton bourreau.
Si tu m'offres ta tête, est-ce à moi de la prendre ?
Je la dois attaquer, mais tu dois la défendre,
C'est d'un autre que toi qu'il me faut l'obtenir,
Et je dois te poursuivre et non pas te punir.

DON RODRIGUE

955 De quoi qu'en ma faveur notre amour t'entretienne,
Ta générosité doit répondre à la mienne.
Et pour venger un père emprunter d'autres bras,
Ma Chimène, crois-moi, c'est n'y répondre pas :
Ma main seule du mien a su venger l'offense,
960 Ta main seule du tien doit prendre la vengeance.

CHIMÈNE

Cruel, à quel propos sur ce point t'obstiner ?
Tu t'es vengé sans aide et tu m'en veux donner !
Je suivrai ton exemple, et j'ai trop de courage
Pour souffrir qu'avec toi ma gloire se partage ;
965 Mon père et mon honneur ne veulent rien devoir
Aux traits de ton amour, ni de ton désespoir.

---

1. *Partie* : partie adverse, au sens juridique.

Don Rodrigue

Rigoureux point d'honneur ! hélas ! quoi que je fasse
Ne pourrai-je à la fin obtenir cette grâce ?
Au nom d'un père mort, ou de notre amitié,
970 Punis-moi par vengeance, ou du moins par pitié,
Ton malheureux amant aura bien moins de peine
À mourir par ta main, qu'à vivre avec ta haine.

Chimène

Va, je ne te hais point.

Don Rodrigue

Tu le dois.

Chimène

Je ne puis.

Don Rodrigue

Crains-tu si peu le blâme, et si peu les faux bruits ?
975 Quand on saura mon crime et que ta flamme dure,
Que ne publieront point l'envie et l'imposture ?
Force-les au silence, et sans plus discourir,
Sauve ta renommée en me faisant mourir.

Chimène

Elle éclate bien mieux en te laissant en vie,
980 Et je veux que la voix de la plus noire envie
Élève au Ciel ma gloire, et plaigne mes ennuis,
Sachant que je t'adore et que je te poursuis.
Va-t'en, ne montre plus à ma douleur extrême
Ce qu'il faut que je perde, encore que[1] je l'aime ;
985 Dans l'ombre de la nuit cache bien ton départ,
Si l'on te voit sortir, mon honneur court hasard[2],

---

1. *Encore que* : bien que.
2. *Mon honneur court hasard* : mon honneur est en danger.

La seule occasion qu'aura la médisance
C'est de savoir qu'ici j'ai souffert ta présence,
Ne lui donne point lieu d'attaquer ma vertu.

DON RODRIGUE

990 Que je meure.

CHIMÈNE

Va-t'en.

DON RODRIGUE

À quoi te résous-tu ?

CHIMÈNE

Malgré des feux si beaux qui rompent ma colère,
Je ferai mon possible à bien venger mon père,
Mais malgré la rigueur d'un si cruel devoir,
Mon unique souhait est de ne rien pouvoir.

DON RODRIGUE

995 Ô miracle d'amour !

CHIMÈNE

Mais comble de misères.

DON RODRIGUE

Que de maux et de pleurs nous coûteront nos pères !

CHIMÈNE

Rodrigue, qui l'eût cru !

DON RODRIGUE

Chimène, qui l'eût dit !

CHIMÈNE

Que notre heur[1] fût si proche et si tôt se perdît !

---

1. _Heur_ : bonheur.

DON RODRIGUE

Et que si près du port, contre toute apparence,
1000 Un orage si prompt brisât notre espérance !

CHIMÈNE

Ah, mortelles douleurs !

DON RODRIGUE

Ah, regrets superflus !

CHIMÈNE

Va-t'en, encore un coup, je ne t'écoute plus.

DON RODRIGUE

Adieu, je vais traîner une mourante vie,
Tant que[1] par ta poursuite elle me soit ravie.

CHIMÈNE

1005 Si j'en obtiens l'effet, je te donne ma foi
De ne respirer pas un moment après toi.
Adieu, sors, et surtout garde bien qu'on te voie.

Le Cid, GF-Flammarion,
coll. «Étonnants classiques», 2001, v. 859-1007.

---

1. *Tant que* : en attendant que.

Le théâtre classique

Les règles du théâtre classique

Les unités : lieu, temps, action

Le deuxième quart du xviie siècle établit un ensemble de règles qui visent à régir l'art dramatique. Parmi elles, la plus importante est celle qui recommande l'unité d'action : « Qu'en un lieu, qu'en un jour, un seul fait accompli/Tienne jusqu'à la fin le théâtre rempli » (Boileau, *Art poétique*, 1674, chant III). Elle est reprise de la *Poétique* d'Aristote (ive siècle av. J.-C.) et exige que toutes les intrigues secondaires soient liées à la principale. Les commentateurs français du philosophe grec lui adjoignent les règles d'unités de lieu et de temps. Conséquences du resserrement de l'action, elles sont destinées à renforcer la vraisemblance nécessaire à l'illusion. Le temps de la fiction représentée sur scène pendant un acte doit correspondre à la durée réelle de l'acte. Pendant les entractes, qui permettent de moucher les chandelles pour éviter qu'elles enfument l'assistance, l'action est censée se poursuivre, mais elle ne peut excéder, au total, vingt-quatre heures. Par ailleurs, dans la plupart des théâtres, la scène est dépourvue de rideaux, ce qui interdit tout changement de décor ; en outre, comme pour la durée des faits représentés qui doit s'approcher de celle de la représentation, une coïncidence doit s'établir entre l'espace scénique (unique) et le lieu fictif de l'action jouée. Le théâtre classique situe les intrigues dans des « palais à volonté », lieux de passage ou antichambres, où se croisent les personnages. Ainsi l'action de *Bérénice* (p. 60) se déroule-t-elle « *à Rome, dans un cabinet qui est entre l'appartement de Titus et celui de Bérénice* ».

Vraisemblance et bienséance

À ces règles s'ajoutent des conventions sociales à respecter : la vraisemblance et la bienséance. Comme l'énonce Boileau, « Jamais au spectateur n'offrez rien d'incroyable :/Le vrai peut quelquefois n'être pas vraisemblable » (*Art poétique*). Il s'agit d'accorder la vérité à ce que l'opinion peut croire vrai. Elle doit donc être transformée lorsqu'elle est trop extraordinaire pour être crédible. Toutefois, Corneille revendique le droit de se conformer à la vérité historique, même lorsqu'elle n'est pas vraisemblable : cette dernière légitime selon lui la représentation d'actions singulières qui s'écartent du comportement habituel. En outre, le théâtre classique rejette ce qui pourrait choquer les goûts et les idées morales du public. La mort, la violence et toute référence au corps sont jugées inconvenantes et doivent donc être bannies de la scène théâtrale. Dans *Bérénice*, Racine pousse cette exigence à l'extrême et rompt avec les codes habituels du dénouement tragique – aucun personnage de la pièce ne meurt. Il s'en justifie ainsi dans la préface de son texte : « Ce n'est point une nécessité qu'il y ait du sang et des morts dans une tragédie : il suffit que l'action en soit grande, que les acteurs en soient héroïques, que les passions y soient excitées, et que tout s'y ressente de cette tristesse majestueuse qui fait tout le plaisir de la tragédie. »

La tragédie

Écrite en alexandrins, vers nobles par excellence, la tragédie met en scène des personnages de haut rang, tirés de la mythologie, de la Bible ou de l'histoire antique. Un dilemme cruel divise ses héros, partagés entre deux partis contraires : leurs sentiments et leur devoir – ainsi, dans *Bérénice*, Titus doit-il choisir entre aimer Bérénice et régner sur

Rome. Écrasés, comme dans la tragédie antique, par la fatalité divine, ils courent malgré eux à une fin tragique, la mort le plus souvent. N'ayant aucun doute sur le dénouement de l'action, les spectateurs éprouvent de la pitié pour les personnages auxquels ils s'identifient – par le biais de l'illusion théâtrale –, et dont ils mesurent, avec terreur, les efforts désespérés pour échapper à une issue inéluctable.

■ Racine, *Britannicus*, acte II, scène 6 (1669)

Jean Racine (1639-1669) connaît son premier grand succès en 1667 grâce à *Andromaque*; deux ans plus tard, avec *Britannicus*, puis en 1670 avec *Bérénice*, il confirme sa réussite et supplante bientôt son vieillissant rival Corneille dans le cœur du public.

Tragédie classique, *Britannicus* respecte la règle des trois unités, la vraisemblance et les bienséances. L'ensemble de la pièce se joue dans l'antichambre de l'empereur de Rome Néron, qui a succédé à son père adoptif Claude. Elle se déroule en une journée, entre l'aube et la tombée de la nuit, pendant laquelle l'empereur décide peu à peu d'éliminer tous ceux qui lui font obstacle.

Il fait enlever Junie, à laquelle il voue une passion secrète, et la menace d'exécuter son amant, Britannicus, prince légitime. Dans la scène 6 de l'acte II, l'héroïne est contrainte de se montrer distante à l'égard de celui qu'elle aime car elle sait que l'empereur écoute leur entretien. Les efforts de la jeune femme seront vains : l'empereur fera exécuter son rival au terme de la tragédie.

Le passage repose sur un dispositif scénique intéressant, celui du témoin caché (voir aussi *Le Tartuffe*, p. 64). Junie doit protéger son amant tout en le rassurant sur la constance de ses sentiments, dont il risque de douter. Si Junie ne peut parler librement, comment peut-elle réussir à faire comprendre la situation à Britannicus ? Quelles peuvent être les réactions de Néron ? Le spectateur voit-il le témoin caché ou doit-il deviner ce qu'il ressent ?

Madame, quel bonheur me rapproche de vous ?
Quoi ? je puis donc jouir d'un entretien si doux ?
695 Mais parmi ce plaisir quel chagrin me dévore !
Hélas ! puis-je espérer de vous revoir encore ?
Faut-il que je dérobe, avec mille détours,
Un bonheur que vos yeux m'accordaient tous les jours ?
Quelle nuit ! Quel réveil ! Vos pleurs, votre présence
700 N'ont point de ces cruels désarmé l'insolence ?
Que faisait votre amant[1] ? Quel démon envieux
M'a refusé l'honneur de mourir à vos yeux ?
Hélas ! dans la frayeur dont vous étiez atteinte,
M'avez-vous en secret adressé quelque plainte ?
705 Ma Princesse, avez-vous daigné me souhaiter[2] ?
Songiez-vous aux douleurs que vous m'alliez coûter ?
Vous ne me dites rien ? Quel accueil ! Quelle glace[3] !
Est-ce ainsi que vos yeux consolent ma disgrâce ?
Parlez. Nous sommes seuls : notre ennemi[4] trompé,
710 Tandis que je vous parle, est ailleurs occupé.
Ménageons[5] les moments de cette heureuse absence.

JUNIE

Vous êtes en des lieux tout pleins de sa puissance.
Ces murs mêmes, Seigneur, peuvent avoir des yeux ;
Et jamais l'Empereur n'est absent de ces lieux.

BRITANNICUS

715 Et depuis quand, Madame, êtes-vous si craintive ?
Quoi ? déjà votre amour souffre qu'on le captive ?

---

1. *Votre amant* : celui qui vous aime, c'est-à-dire Britannicus lui-même.
2. *Me souhaiter* : désirer ma présence.
3. *Quelle glace !* : quel accueil glacial !
4. *Notre ennemi* : Néron, que Britannicus croit loin mais qui les écoute attentivement.
5. *Ménageons* : utilisons bien.

Qu'est devenu ce cœur qui me jurait toujours
De faire à Néron même envier nos amours ?
Mais bannissez, Madame, une inutile crainte.
720   La foi[1] dans tous les cœurs n'est pas encore éteinte ;
Chacun semble des yeux approuver mon courroux[2] ;
La mère de Néron se déclare pour nous.
Rome, de sa conduite elle-même offensée...

JUNIE

Ah ! Seigneur, vous parlez contre votre pensée.
725   Vous-même, vous m'avez avoué mille fois
Que Rome le louait d'une commune voix ;
Toujours à sa vertu vous rendiez quelque hommage.
Sans doute la douleur vous dicte ce langage.

BRITANNICUS

Ce discours me surprend, il le faut avouer.
730   Je ne vous cherchais pas pour l'entendre louer.
Quoi ! pour vous confier la douleur qui m'accable,
À peine[3] je dérobe un moment favorable,
Et ce moment si cher, Madame, est consumé[4]
À louer l'ennemi dont je suis opprimé ?
735   Qui vous rend à vous-même, en un jour, si contraire[5] ?
Quoi ! même vos regards ont appris à se taire ?
Que vois-je ? Vous craignez de rencontrer mes yeux ?
Néron vous plairait-il ? Vous serais-je odieux ?
Ah ! si je le croyais... Au nom des Dieux, Madame,
740   Éclaircissez le trouble où vous jetez mon âme.
Parlez. Ne suis-je plus dans votre souvenir ?

---

1. *Foi* : fidélité.
2. *Mon courroux* : ma colère.
3. *À peine* : avec peine.
4. *Consumé* : perdu.
5. *Si contraire* : si différente de ce que vous êtes habituellement.

JUNIE

Retirez-vous, Seigneur, l'Empereur va venir.

BRITANNICUS

Après ce coup, Narcisse[1], à qui dois-je m'attendre[2] ?

Britannicus, GF-Flammarion, 1995, v. 693-743.

■ Racine, *Bérénice*, acte IV, scène 5 (1670)

À la mort de son père, Titus devient empereur de Rome. La loi lui interdit d'épouser une princesse étrangère. Dès lors, quel sort doit-il réserver à Bérénice, reine de Palestine, qu'il aime et à qui il a promis le mariage ? Doit-il braver les Romains pour l'épouser ? Doit-il bafouer ses sentiments en congédiant la jeune femme ? Longtemps, il fuit un entretien avec elle, qu'il sait d'avance douloureux, mais Bérénice exige ce face-à-face. À la scène 5 de l'acte IV, il se résout à lui annoncer qu'il la renvoie.

Dans cette scène s'illustre l'un des conflits caractéristiques de la tragédie classique : le dilemme entre amour et devoir qui tiraille Titus. Y répondent les plaintes de Bérénice, semblables à celles des grandes héroïnes antiques abandonnées qui ont pour nom Didon ou Ariane. Jointes à la musicalité des vers, elles font de ce passage un morceau de pur lyrisme.

[...]

BÉRÉNICE

Hé bien ! régnez, cruel ; contentez votre gloire :
Je ne dispute plus. J'attendais, pour vous croire,

---

1. Narcisse est le confident de Britannicus. Dans la pièce, il obéit en secret à Néron.
2. *M'attendre* : me fier.

1105 Que cette même bouche, après mille serments
D'un amour qui devait unir tous nos moments,
Cette bouche, à mes yeux s'avouant infidèle,
M'ordonnât elle-même une absence éternelle.
Moi-même j'ai voulu vous entendre en ce lieu.
1110 Je n'écoute plus rien ; et pour jamais, adieu.
Pour jamais ! Ah ! Seigneur, songez-vous en vous-même
Combien ce mot cruel est affreux quand on aime ?
Dans un mois, dans un an, comment souffrirons-nous,
Seigneur, que tant de mers me séparent de vous ?
1115 Que le jour recommence et que le jour finisse,
Sans que jamais Titus puisse voir Bérénice,
Sans que de tout le jour je puisse voir Titus !
Mais quelle est mon erreur, et que de soins[1] perdus !
L'ingrat, de mon départ consolé par avance,
1120 Daignera-t-il compter les jours de mon absence ?
Ces jours si longs pour moi lui sembleront trop courts.

TITUS

Je n'aurai pas, Madame, à compter tant de jours.
J'espère que bientôt la triste Renommée
Vous fera confesser[2] que vous étiez aimée.
1125 Vous verrez que Titus n'a pu sans expirer…

BÉRÉNICE

Ah ! Seigneur, s'il est vrai, pourquoi nous séparer ?
Je ne vous parle point d'un heureux hyménée[3] :
Rome à ne vous plus voir m'a-t-elle condamnée ?
Pourquoi m'enviez-vous[4] l'air que vous respirez ?

---

1. *Soins* : attentions pour la personne que l'on aime.
2. *Confesser* : reconnaître publiquement.
3. *Hyménée* : mariage.
4. *M'enviez-vous* : me refusez-vous.

TITUS

1130 Hélas ! vous pouvez tout, Madame. Demeurez :
Je n'y résiste point. Mais je sens ma faiblesse :
Il faudra vous combattre et vous craindre sans cesse,
Et sans cesse veiller à retenir mes pas
Que vers vous à toute heure entraînent vos appas[1].
1135 Que dis-je ? En ce moment mon cœur, hors de lui-même,
S'oublie[2], et se souvient seulement qu'il vous aime.

BÉRÉNICE

Hé bien, Seigneur, hé bien ! qu'en peut-il arriver ?
Voyez-vous les Romains prêts à se soulever ?

TITUS

Et qui sait de quel œil ils prendront cette injure ?
1140 S'ils parlent, si les cris succèdent au murmure,
Faudra-t-il par le sang justifier mon choix ?
S'ils se taisent, Madame, et me vendent[3] leurs lois,
À quoi m'exposez-vous ? Par quelle complaisance
Faudra-t-il quelque jour payer leur patience ?
1145 Que n'oseront-ils point alors me demander ?
Maintiendrai-je des lois que je ne puis garder[4] ?

BÉRÉNICE

Vous ne comptez pour rien les pleurs de Bérénice.

TITUS

Je les compte pour rien ? Ah ciel ! quelle injustice !

---

1. *Appas* : voir note 3, p. 49.
2. *S'oublie* : néglige son devoir.
3. *Vendent* : réclament quelque chose en échange de ma conduite illégale, de mon alliance avec une reine étrangère.
4. *Que je ne puis garder* : que je n'observe pas moi-même.

Quoi ? pour d'injustes lois que vous pouvez changer,
1150 En d'éternels chagrins vous-même vous plonger ?
Rome a ses droits, Seigneur. N'avez-vous pas les vôtres ?
Ses intérêts sont-ils plus sacrés que les nôtres ?
Dites, parlez.

Titus

Hélas ! Que vous me déchirez !

Bérénice

Vous êtes empereur, Seigneur, et vous pleurez !

Bérénice, GF-Flammarion, 1997, v. 1103-1154.

Vers la « grande comédie »

Dans les années 1630, si la comédie s'appuie encore sur les ressources de la farce, elle tend à s'enrichir notablement, jusqu'à être écrite, comme la tragédie, en cinq actes et en vers – on parle de « grande comédie ».

C'est Molière qui renouvelle considérablement le genre, notamment en inventant la comédie-ballet, qui insère des épisodes chantés et dansés entre les scènes dialoguées, et la comédie de caractère et de mœurs, qui entreprend l'analyse et la satire de caractères universels (la jalousie, l'avarice, la coquetterie...) et des mœurs bourgeoises ou mondaines de l'époque (le mariage forcé, l'hypocrisie sociale). L'importance des sujets abordés jointe à l'élaboration d'une intrigue complexe – qui multiplie les quiproquos, coups de théâtre et effets d'attente et de surprise – offre au genre une profondeur nouvelle. Si, dans sa forme originelle, la pièce en trois actes *George Dandin* s'apparente à une comédie-ballet, elle ressortit, comme *Le Tartuffe*, pièce en cinq actes et en vers, à la comédie de mœurs et de caractère par son sujet : Molière épingle un paysan qui veut devenir gentilhomme et des petits hobereaux très fiers de leurs ancêtres et de leurs blasons mais ruinés, et se consacre à l'un de ses sujets de prédilection – la situation de la femme mariée.

Reposant sur un propos sérieux, la comédie de mœurs et de caractère ne veut pas seulement faire rire, mais affiche une ambition didactique : « corriger les vices des hommes ». Le spectacle n'est donc pas une fin en soi, contrairement à celui de la farce : il doit représenter le monde et le changer.

■ Molière, *Le Tartuffe*, acte IV, scène 5 (1664)

En 1664, Molière (1622-1673) écrit *Le Tartuffe*. Aussitôt, les extrémistes du parti dévot font pression sur le roi pour qu'il interdise une comédie dont ils se sentent la cible. Molière devra attendre cinq ans pour que Louis XIV affermisse son pouvoir et autorise la pièce ; elle sera couronnée de succès.

Directeur de conscience cupide et vénal, Tartuffe simule par calcul des sentiments religieux. Loin de se désintéresser de toute chose terrestre, il est un être de chair et de sang, manipulateur et sans scrupule, prêt à séduire la femme de son protecteur. Dans la scène 5 de l'acte IV, Elmire veut confondre Tartuffe en révélant son imposture aux yeux d'Orgon, son mari. Dans ce but, elle demande à ce dernier d'assister sans se montrer à son entretien avec le faux dévot.

Le passage met en scène un couple singulier : une femme et celui qui espère être son amant devisent, écoutés par le mari. La dimension comique de la scène réside dans l'intervention différée de l'époux caché – selon un art consommé du comique de répétition, Elmire tousse à plusieurs reprises pour inciter Orgon à interrompre l'entretien, si bien que Tartuffe lui offre du jus de réglisse pour se soigner ! – et dans l'ambiguïté du discours d'Elmire à la fin de l'extrait. Le moment est cependant empreint de gravité : il montre un « scélérat » recourant à la rhétorique religieuse pour séduire une femme et servir ses propres intérêts...

[...]

TARTUFFE

C'est sans doute, Madame, une douceur extrême
Que d'entendre ces mots d'une bouche qu'on aime[1] :
Leur miel dans tous mes sens fait couler à longs traits

1440 Une suavité qu'on ne goûta jamais.
Le bonheur de vous plaire est ma suprême étude[2],
Et mon cœur de vos vœux fait sa béatitude ;
Mais ce cœur vous demande ici la liberté
D'oser douter un peu de sa félicité[3].

1445 Je puis croire ces mots un artifice honnête
Pour m'obliger à rompre un hymen qui s'apprête[4] ;
Et s'il faut librement m'expliquer avec vous,
Je ne me fierai point à des propos si doux,
Qu'un peu de vos faveurs[5], après quoi je soupire[6],

1450 Ne vienne m'assurer tout ce qu'ils m'ont pu dire,
Et planter dans mon âme une constante foi[7]
Des charmantes bontés que vous avez pour moi.

ELMIRE. *Elle tousse pour avertir son mari.*

Quoi ? vous voulez aller avec cette vitesse,
Et d'un cœur tout d'abord épuiser la tendresse ?

1455 On se tue à vous faire un aveu des plus doux ;
Cependant ce n'est pas encore assez pour vous,
Et l'on ne peut aller jusqu'à vous satisfaire,
Qu'aux dernières faveurs on ne pousse l'affaire ?

---

1. Pour le confondre, Elmire vient de confier à Tartuffe qu'elle éprouve pour lui de «tendres sentiments».
2. *Ma suprême étude* : ce à quoi je travaille tout particulièrement.
3. *Béatitude, félicité* : bonheur.
4. *À rompre un hymen qui s'apprête* : à rompre un mariage qui se prépare, celui de Tartuffe et Marianne – la fille de son bienfaiteur Orgon –, auquel Elmire s'est opposée.
5. *Faveurs* : gestes tendres.
6. *Après quoi je soupire* : que je désire.
7. *Foi* : confiance, assurance.

TARTUFFE

Moins on mérite un bien, moins on l'ose espérer.
1460 Nos vœux sur des discours ont peine à s'assurer.
On soupçonne[1] aisément un sort tout plein de gloire,
Et l'on veut en jouir avant que de le croire.
Pour moi, qui crois si peu mériter vos bontés,
Je doute du bonheur de mes témérités ;
1465 Et je ne croirai rien que vous n'ayez, Madame,
Par des réalités su convaincre ma flamme.

ELMIRE

Mon Dieu, que votre amour en vrai tyran agit,
Et qu'en un trouble étrange il me jette l'esprit !
Que sur les cœurs il prend un furieux empire,
1470 Et qu'avec violence il veut ce qu'il désire !
Quoi ? de votre poursuite on ne peut se parer[2],
Et vous ne donnez pas le temps de respirer ?
Sied-il bien de tenir[3] une rigueur si grande,
De vouloir sans quartier[4] les choses qu'on demande,
1475 Et d'abuser ainsi par vos efforts pressants
Du faible que pour vous vous voyez qu'ont les gens ?

TARTUFFE

Mais si d'un œil bénin vous voyez mes hommages,
Pourquoi m'en refuser d'assurés témoignages ?

ELMIRE

Mais comment consentir à ce que vous voulez,
1480 Sans offenser le Ciel, dont toujours vous parlez ?

---

1. *On soupçonne* : on doute de.
2. *Se parer* : se protéger.
3. *Tenir* : faire preuve de.
4. *Sans quartier* : sans aucune concession.

■ *Le Tartuffe*, dans la mise en scène controversée d'Ariane Mnouchkine au festival d'Avignon en 1995, avec la troupe du Théâtre du Soleil. L'action est transposée de nos jours dans quelque pays d'Afrique du Nord ou du Proche-Orient. La pièce de Molière sert la dénonciation de l'intégrisme islamique, dont Tartuffe devient l'incarnation.

TARTUFFE

Si ce n'est que le Ciel qu'à mes vœux on oppose,
Lever un tel obstacle est à moi[1] peu de chose,
Et cela ne doit pas retenir votre cœur.

ELMIRE

Mais des arrêts du Ciel on nous fait tant de peur !

TARTUFFE

1485 Je puis vous dissiper ces craintes ridicules,
Madame, et je sais l'art de lever les scrupules.
Le Ciel défend, de vrai, certains contentements ;

C'est un scélérat qui parle.

Mais on trouve avec lui des accommodements ;
Selon divers besoins, il est une science
1490 D'étendre les liens de notre conscience
Et de rectifier le mal de l'action
Avec la pureté de notre intention.
De ces secrets, Madame, on saura vous instruire ;
Vous n'avez seulement qu'à vous laisser conduire.
1495 Contentez mon désir, et n'ayez point d'effroi :
Je vous réponds de tout, et prends le mal sur moi.
Vous toussez fort, Madame.

ELMIRE

Oui, je suis au supplice.

TARTUFFE

Vous plaît-il un morceau de ce jus de réglisse ?

ELMIRE

C'est un rhume obstiné, sans doute ; et je vois bien
1500 Que tous les jus du monde ici ne feront rien.

---

1. *À moi* : pour moi.

TARTUFFE

Cela certes est fâcheux.

ELMIRE

Oui, plus qu'on ne peut dire.

TARTUFFE

Enfin votre scrupule est facile à détruire :
Vous êtes assurée ici d'un plein secret,
Et le mal n'est jamais que dans l'éclat qu'on fait ;
505 Le scandale du monde est ce qui fait l'offense,
Et ce n'est pas pécher que pécher en silence.

ELMIRE, après avoir encore toussé.

Enfin je vois qu'il faut se résoudre à céder,
Qu'il faut que je consente à vous tout accorder,
Et qu'à moins de cela je ne dois point prétendre
510 Qu'on puisse être content, et qu'on veuille se rendre[1].
Sans doute il est fâcheux d'en venir jusque-là,
Et c'est bien malgré moi que je franchis cela ;
Mais puisque l'on s'obstine à m'y vouloir réduire,
Puisqu'on ne veut point croire à tout ce qu'on peut dire
515 Et qu'on veut des témoins qui soient plus convaincants,
Il faut bien s'y résoudre, et contenter les gens.
Si ce consentement porte en soi quelque offense,
Tant pis pour qui me force à cette violence ;
La faute assurément n'en doit pas être à moi.
[...]

Le Tartuffe, GF-Flammarion, 1997,
v. 1437-1519.

---

1. *Se rendre* : se déclarer satisfait.

■ Molière, *George Dandin*, acte II, scène 2 (1668)

Un an après *Le Tartuffe*, Molière s'en prend encore à ses pieux ennemis avec *Dom Juan* : à l'acte V de sa pièce, il dénonce leur hypocrisie
en mettant en scène le repentir feint de son personnage qui, grâce
au masque de la dévotion, entend continuer de déroger en paix aux
engagements qu'on lui réclame. Mais la sanction ne tarde pas à tomber sur Molière : la pièce est interdite quelques semaines seulement
après la première représentation. En 1666, le dramaturge exprime
son amertume dans *Le Misanthrope*, pièce dans laquelle il évoque la
victoire de la complaisance sociale sur la vertu de la sincérité, avant
d'abandonner cette voie délicate pour lui préférer des comédies-
ballets et des farces « inoffensives », au nombre desquelles on trouve
George Dandin. Molière ne s'attaque plus à une institution publique
mais à ceux dont il n'a pas à craindre les représailles.

Le paysan George Dandin a épousé la fille d'un gentilhomme, qui n'a vu
en lui que sa fortune et qui le méprise au plus haut point. Elle ne cesse
de lui jouer des mauvais tours. Représentée à l'occasion du Grand divertissement royal de Versailles, cette comédie en trois actes s'apparente
à la farce par sa structure (chacun des actes correspond à une espiègle-
rie faite à Dandin), par le comique de mots qu'elle emploie (Angélique
est la fille de Monsieur Sotenville) et par le comique de gestes auquel
elle recourt (« vous n'avez que faire de hocher la tête, et de me faire la
grimace », se plaint George Dandin, qui se croit le destinataire des sou-
rires d'Angélique). Toutefois, elle tient de la comédie de mœurs et de
caractère par sa satire lucide de la société de son temps, au travers d'un
personnage dont les ambitions sont tournées en ridicule.

GEORGE DANDIN. – Non, non, on ne m'abuse pas avec tant de
    facilité, et je ne suis que trop certain que le rapport que l'on
    m'a fait est véritable. J'ai de meilleurs yeux qu'on ne pense, et
    votre galimatias[1] ne m'a point tantôt ébloui.

---

1. *Galimatias* : discours confus.

CLITANDRE, *au fond du théâtre.* – Ah ! la voilà ; mais le mari est
　　avec elle.

GEORGE DANDIN. – Au travers de toutes vos grimaces, j'ai vu la
　　vérité de ce que l'on m'a dit, et le peu de respect que vous
　　avez pour le nœud[1] qui nous joint. *(Clitandre et Angélique se*
　　saluent.) Mon Dieu ! laissez là votre révérence, ce n'est pas de
　　ces sortes de respect dont je vous parle, et vous n'avez que
　　faire de vous moquer.

ANGÉLIQUE. – Moi, me moquer ! En aucune façon.

GEORGE DANDIN. – Je sais votre pensée, et connais… *(Clitandre et*
　　Angélique se resaluent.) Encore ? ah ! ne raillons pas davantage !
　　Je n'ignore pas qu'à cause de votre noblesse vous me tenez
　　fort au-dessous de vous, et le respect que je vous veux dire
　　ne regarde point ma personne : j'entends parler de celui que
　　vous devez à des nœuds aussi vénérables que le sont ceux du
　　mariage. *(Angélique fait signe à Clitandre.)* Il ne faut point lever
　　les épaules, et je ne dis point de sottises.

ANGÉLIQUE. – Qui songe à lever les épaules ?

GEORGE DANDIN. – Mon Dieu ! nous voyons clair. Je vous dis
　　encore une fois que le mariage est une chaîne à laquelle on
　　doit porter toute sorte de respect, et que c'est fort mal fait à
　　vous d'en user comme vous faites. Oui, oui, mal fait à vous ;
　　et vous n'avez que faire de hocher la tête, et de me faire la
　　grimace.

ANGÉLIQUE. – Moi ! je ne sais ce que vous voulez dire.

GEORGE DANDIN. – Je le sais fort bien, moi ; et vos mépris me sont
　　connus. Si je ne suis pas né noble, au moins suis-je d'une race
　　où il n'y a point de reproche ; et la famille des Dandins…

CLITANDRE, *derrière Angélique, sans être aperçu de Dandin.* – Un
　　moment d'entretien.

GEORGE DANDIN. – Eh ?

ANGÉLIQUE. – Quoi ? je ne dis mot.

---

1. *Nœud* : lien, mariage.

GEORGE DANDIN *tourne autour de sa femme, et Clitandre se retire en faisant une grande révérence à George Dandin.* – Le voilà qui vient rôder autour de vous.

40 ANGÉLIQUE. – Hé bien, est-ce ma faute ? Que voulez-vous que j'y fasse ?

GEORGE DANDIN. – Je veux que vous y fassiez ce que fait une femme qui ne veut plaire qu'à son mari. Quoi qu'on en puisse dire, les galants n'obsèdent jamais que quand on le veut bien.
45 Il y a un certain air doucereux qui les attire, ainsi que le miel fait les mouches ; et les honnêtes femmes ont des manières qui les savent chasser d'abord.

ANGÉLIQUE. – Moi, les chasser ? et par quelle raison ? Je ne me scandalise point qu'on me trouve bien faite, et cela me fait
50 du plaisir.

GEORGE DANDIN. – Oui. Mais quel personnage voulez-vous que joue un mari pendant cette galanterie[1] ?

ANGÉLIQUE. – Le personnage d'un honnête homme qui est bien aise de voir sa femme considérée.

55 GEORGE DANDIN. – Je suis votre valet. Ce n'est pas là mon compte, et les Dandins ne sont point accoutumés à cette mode-là.

ANGÉLIQUE. – Oh ! les Dandins s'y accoutumeront s'ils veulent. Car pour moi, je vous déclare que mon dessein n'est pas de renoncer au monde, et de m'enterrer toute vive dans un mari.
60 Comment ? parce qu'un homme s'avise de nous épouser, il faut d'abord que toutes choses soient finies pour nous, et que nous rompions tout commerce[2] avec les vivants ? C'est une chose merveilleuse que cette tyrannie de Messieurs les maris, et je les trouve bons de vouloir qu'on soit morte à tous les
65 divertissements, et qu'on ne vive que pour eux. Je me moque de cela, et ne veux point mourir si jeune.

---

1. *Galanterie* : scène de séduction.
2. *Tout commerce* : toute relation.

GEORGE DANDIN. – C'est ainsi que vous satisfaites aux engagements de la foi que vous m'avez donnée publiquement?

ANGÉLIQUE. – Moi? je ne vous l'ai point donnée de bon cœur, et vous me l'avez arrachée. M'avez-vous, avant le mariage, demandé mon consentement, et si je voulais bien de vous? Vous n'avez consulté, pour cela, que mon père et ma mère; ce sont eux proprement qui vous ont épousé, et c'est pourquoi vous ferez bien de vous plaindre toujours à eux des torts que l'on pourra vous faire. Pour moi, qui ne vous ai point dit de vous marier avec moi, et que vous avez prise sans consulter mes sentiments, je prétends n'être point obligée à me soumettre en esclave à vos volontés; et je veux jouir, s'il vous plaît, de quelque nombre de beaux jours que m'offre la jeunesse, prendre les douces libertés que l'âge me permet, voir un peu le beau monde, et goûter le plaisir de m'ouïr dire des douceurs. Préparez-vous-y, pour votre punition, et rendez grâces au Ciel de ce que je ne suis pas capable de quelque chose de pis.

GEORGE DANDIN. – Oui! c'est ainsi que vous le prenez? Je suis votre mari, et je vous dis que je n'entends pas cela.

ANGÉLIQUE. – Moi je suis votre femme, et je vous dis que je l'entends.

GEORGE DANDIN. – Il me prend des tentations d'accommoder tout son visage à la compote, et le mettre en état de ne plaire de sa vie aux diseurs de fleurettes[1]. Ah! allons, George Dandin; je ne pourrais me retenir, et il vaut mieux quitter la place.

George Dandin, GF-Flammarion,
coll. «Étonnants Classiques», 2001.

---

1. *Diseurs de fleurettes* : galants qui font la cour aux femmes avec de belles paroles.

La comédie au temps des Lumières

En dépit du vif succès remporté par les tragédies de Voltaire, le XVIIIe siècle voit le déclin du genre tragique. La comédie connaît quant à elle un profond renouvellement. Le public exige un plus grand réalisme et plus de naturel : aux protagonistes stéréotypés et aux intrigues figées, il préfère des personnages singuliers aux prises avec des questions de la vie quotidienne. La comédie de mœurs prend le pas sur la comédie de caractère. Enfin, un nouveau genre se fait jour : le drame, miroir de la société bourgeoise. Théorisé par Diderot, il met en scène des personnages nouveaux (le père de famille, le négociant, l'ouvrier). Valorisant le vrai, il bat en brèche les règles classiques, tels le vraisemblable et les trois unités, et requiert une mise en scène expressive destinée à toucher la sensibilité du spectateur.

■ Marivaux, *Le Jeu de l'amour et du hasard*, acte III, scène 8 (1730)

En 1722, Marivaux (1688-1763) conçoit *La Surprise de l'amour*. Cette pièce invente un genre nouveau : la comédie d'exploration psychologique, qui prend pour sujet l'émergence des sentiments amoureux dans la conscience des personnages. Elle inaugure une série d'œuvres couronnées de succès – parmi lesquelles *Le Jeu de l'amour et du hasard* (1730) et *Les Fausses Confidences* (1737) – qui mettent en scène le même sujet, variant sans cesse sa forme.

Si, dans les pièces de Molière, l'amour doit surmonter les oppositions de parents réticents et les obstacles de rivaux jaloux, dans celles de Marivaux, il lutte d'abord contre lui-même. Les hésitations qu'il rencontre sont le fait de ses protagonistes englués dans des préjugés sociaux ou craignant de ne pas être aimés pour ce qu'ils sont.

Dans *Le Jeu de l'amour et du hasard*, Silvia refuse d'être mariée à un homme qu'elle n'aime pas. Avec Lisette, sa servante, elle échange son nom et son habit afin de mieux observer celui auquel son père la destine : Dorante. Or, sans se douter du procédé, ce dernier recourt au même stratagème avec son valet Bourguignon : le domestique incarne le maître, et réciproquement. Mais l'ordre social est sauf : les deux valets s'éprennent l'un de l'autre, tout comme les deux maîtres. Dorante avoue alors la vérité à Silvia, qui ne lui révèle pas immédiatement son identité : elle veut que, par amour, Dorante la demande en mariage alors même qu'il la croit domestique. Comble de travestissement, Mario, frère de la jeune fille, feint auprès de Dorante d'être son rival et de vouloir épouser Silvia.

Dans le passage qui suit, Marivaux renouvelle une scène type : la dispute entre deux amoureux. Introduisant dans celle-ci une dimension morale et politique, il invite le spectateur à s'interroger sur les liens entre le mariage et le rang social. Destinataire des multiples apartés, le spectateur, qui connaît l'identité des personnages, participe au drame : loin de se moquer des protagonistes, comme dans la comédie moliéresque, il partage leurs émotions et leurs craintes.

DORANTE, *à part.* – Qu'elle est digne d'être aimée ! Pourquoi faut-il que Mario m'ait prévenu[1] ?

SILVIA. – Où étiez-vous donc, Monsieur ? Depuis que j'ai quitté Mario, je n'ai pu vous retrouver pour vous rendre compte de
5   ce que j'ai dit à Monsieur Orgon[2].

DORANTE. – Je ne me suis pourtant pas éloigné. Mais de quoi s'agit-il ?

---

1. *M'ait prévenu* : soit tombé amoureux d'elle avant moi.
2. Père de Mario et de Silvia.

SILVIA, *à part.* – Quelle froideur ! *(Haut.)* J'ai eu beau décrier votre
valet et prendre sa conscience à témoin de son peu de mérite[1] ;
10   j'ai eu beau lui représenter qu'on pouvait du moins reculer
le mariage, il ne m'a pas seulement écoutée. Je vous avertis
même qu'on parle d'envoyer chez le notaire, et qu'il est temps
de vous déclarer.

DORANTE. – C'est mon intention. Je vais partir *incognito*, et je
15   laisserai un billet qui instruira Monsieur Orgon de tout.

SILVIA, *à part.* – Partir ! ce n'est pas là mon compte.

DORANTE. – N'approuvez-vous pas mon idée ?

SILVIA. – Mais… pas trop.

DORANTE. – Je ne vois pourtant rien de mieux dans la situation
20   où je suis, à moins que de parler moi-même ; et je ne saurais
m'y résoudre. J'ai d'ailleurs d'autres raisons qui veulent que
je me retire ; je n'ai plus que faire ici.

SILVIA. – Comme je ne sais pas vos raisons, je ne puis ni les
approuver ni les combattre ; et ce n'est pas à moi de vous les
25   demander.

DORANTE. – Il vous est aisé de les soupçonner, Lisette.

SILVIA. – Mais je pense, par exemple, que vous avez du goût pour
la fille de Monsieur Orgon.

DORANTE. – Ne voyez-vous que cela ?

30   SILVIA. – Il y a bien encore certaines choses que je pourrais supposer ;
mais je ne suis pas folle, et je n'ai pas la vanité de m'y arrêter.

DORANTE. – Ni le courage d'en parler ; car vous n'auriez rien
d'obligeant à me dire. Adieu, Lisette.

SILVIA. – Prenez garde : je crois que vous ne m'entendez pas, je
35   suis obligée de vous le dire.

DORANTE. – À merveille ! et l'explication ne me serait pas favorable ; gardez-moi le secret jusqu'à mon départ.

---

1. Silvia, qui se fait passer pour Lisette, s'est opposée au mariage d'Arlequin
avec celle qui joue son propre rôle (parce qu'un valet ne peut épouser une
jeune fille de condition).

SILVIA. – Quoi ! sérieusement, vous partez ?

DORANTE. – Vous avez bien peur que je ne change d'avis.

40 SILVIA. – Que vous êtes aimable d'être si bien au fait !

DORANTE. – Cela est bien naïf, Adieu.

Il s'en va.

SILVIA, *à part.* – S'il part, je ne l'aime plus, je ne l'épouserai
jamais… *(Elle le regarde aller.)* Il s'arrête pourtant ; il rêve ; il
45 regarde si je tourne la tête : je ne saurais le rappeler, moi…
Il serait pourtant singulier[1] qu'il partît, après tout ce que j'ai
fait !… Ah ! voilà qui est fini : il s'en va ; je n'ai pas tant de
pouvoir sur lui que je le croyais. Mon frère est un maladroit ;
il s'y est mal pris : les gens indifférents gâtent tout. Ne suis-je
50 pas bien avancée ? Quel dénouement !… Dorante reparaît
pourtant ; il me semble qu'il revient ; je me dédis[2] donc ; je
l'aime encore… Feignons de sortir, afin qu'il m'arrête : il faut
bien que notre réconciliation lui coûte quelque chose.

DORANTE, *l'arrêtant.* – Restez, je vous prie ; j'ai encore quelque
55 chose à vous dire.

SILVIA. – À moi, Monsieur ?

DORANTE. – J'ai de la peine à partir sans vous avoir convaincue
que je n'ai pas tort de le faire.

SILVIA. – Eh ! Monsieur, de quelle conséquence est-il de[3] vous jus-
60 tifier auprès de moi ? Ce n'est pas la peine ; je ne suis qu'une
suivante, et vous me le faites bien sentir.

DORANTE. – Moi, Lisette ! est-ce à vous de vous plaindre, vous qui
me voyez prendre mon parti sans me rien dire ?

SILVIA. – Hum ! Si je voulais, je vous répondrais bien là-dessus.

65 DORANTE. – Répondez donc ; je ne demande pas mieux que de
me tromper. Mais que dis-je ? Mario vous aime.

SILVIA. – Cela est vrai.

---

1. *Singulier* : malheureux, ennuyeux.

2. *Je me dédis* : je reviens sur ce que j'ai dit.

3. *De quelle conséquence est-il de* : quel intérêt avez-vous à.

DORANTE. – Vous êtes sensible à son amour, je l'ai vu par l'extrême envie que vous aviez tantôt que je m'en allasse ; ainsi
vous ne sauriez m'aimer.

SILVIA. – Je suis sensible à son amour ! qui est-ce qui vous l'a
dit ? Je ne saurais vous aimer ! qu'en savez-vous ? Vous déci-
dez bien vite.

DORANTE. – Eh bien, Lisette, par tout ce que vous avez de plus cher
au monde, instruisez-moi de ce qui en est, je vous en conjure.

SILVIA. – Instruire un homme qui part !

DORANTE. – Je ne partirai point.

SILVIA. – Laissez-moi ; tenez, si vous m'aimez, ne m'interrogez
point ; vous ne craignez que mon indifférence, et vous êtes trop
heureux que je me taise. Que vous importent mes sentiments ?

DORANTE. – Ce qu'ils m'importent, Lisette ? peux-tu douter
encore que je ne t'adore ?

SILVIA. – Non, et vous me le répétez si souvent que je vous crois,
mais pourquoi m'en persuadez-vous ? que voulez-vous que je
fasse de cette pensée-là, Monsieur ? Je vais vous parler à cœur
ouvert. Vous m'aimez ; mais votre amour n'est pas une chose
bien sérieuse pour vous. Que de ressources n'avez-vous pas
pour vous en défaire ! La distance qu'il y a de vous à moi,
mille objets que vous allez trouver sur votre chemin, l'envie
qu'on aura de vous rendre sensible, les amusements d'un
homme de votre condition, tout va vous ôter cet amour dont
vous m'entretenez impitoyablement. Vous en rirez peut-être
au sortir d'ici, et vous aurez raison. Mais moi, Monsieur, si je
m'en ressouviens, comme j'en ai peur, s'il m'a frappée, quel
secours aurai-je contre l'impression qu'il m'aura faite ? Qui
est-ce qui me dédommagera de votre perte ? Qui voulez-vous
que mon cœur mette à votre place ? Savez-vous bien que, si
je vous aimais, tout ce qu'il y a de plus grand dans le monde
ne me toucherait plus ? Jugez donc de l'état où je resterais ;
ayez la générosité de me cacher votre amour. Moi qui vous
parle, je me ferais un scrupule de vous dire que je vous aime,

dans les dispositions où vous êtes; l'aveu de mes sentiments pourrait exposer votre raison, et vous voyez bien aussi que je vous les cache.

105 DORANTE. – Ah! ma chère Lisette, que viens-je d'entendre? tes paroles ont un feu qui me pénètre; je t'adore, je te respecte. Il n'est ni rang, ni naissance, ni fortune qui ne disparaisse devant une âme comme la tienne; j'aurais honte que mon orgueil tînt contre toi; et mon cœur et ma main t'appartiennent.

Le Jeu de l'amour et du hasard, GF-Flammarion, 1999.

■ Beaumarchais, *Le Mariage de Figaro*, acte I, scène 1 (1778)

Le Mariage de Figaro est la seconde pièce de la trilogie espagnole de Beaumarchais (1732-1799), qui compte aussi *Le Barbier de Séville* (1776) et *La Mère coupable* (1792). Le dramaturge la soumet aux Comédiens-Français en 1781. La pièce reçoit l'autorisation de la censure, mais elle est interdite par le roi. Les réflexions du valet Figaro, qui prend peu à peu conscience de l'injustice de son statut et des dysfonctionnements de la société, la font considérer comme dangereuse. Beaumarchais parvient néanmoins à la faire lire dans les salons et, en 1783, à la faire jouer devant le comte d'Artois et quelques privilégiés; mais c'est seulement le 27 avril 1784 qu'a lieu la première représentation publique; elle suscite l'indignation.

Le Mariage de Figaro témoigne du renouvellement de la comédie qui s'opère au cours du XVIIIe siècle : proche du roman par sa complexité, l'intrigue fait intervenir un très grand nombre de personnages. L'exposition met en scène Figaro – valet du Comte Almaviva – et Suzanne – servante de la Comtesse – au matin de leur mariage. La scène exploite les différentes formes du comique : le comique de situation (Figaro ne comprend pas qu'il est manipulé par le Comte), mais aussi le comique de caractère (le domestique naïf s'écarte de l'archétype du valet habile) et de mots (Figaro et sa promise multiplient les onomatopées).

Le théâtre représente une chambre à demi démeublée ; un grand fauteuil de malade est au milieu. Figaro, avec une toise[1], mesure le plancher. Suzanne attache à sa tête, devant une glace, le petit bouquet de fleurs d'orange, appelé chapeau de la mariée.

5 FIGARO. – Dix-neuf pieds sur vingt-six.

SUZANNE. – Tiens, Figaro, voilà mon petit chapeau : le trouves-tu mieux ainsi ?

FIGARO *lui prend les mains.* – Sans comparaison, ma charmante. Oh ! que ce joli bouquet virginal, élevé sur la tête d'une belle fille, est
10 doux, le matin des noces, à l'œil amoureux d'un époux !…

SUZANNE *se retire.* – Que mesures-tu donc là, mon fils[2] ?

FIGARO. – Je regarde, ma petite Suzanne, si ce beau lit que Monseigneur nous donne aura bonne grâce ici.

SUZANNE. – Dans cette chambre ?

15 FIGARO. – Il nous la cède.

SUZANNE. – Et moi, je n'en veux point.

FIGARO. – Pourquoi ?

SUZANNE. – Je n'en veux point.

FIGARO. – Mais encore ?

20 SUZANNE. – Elle me déplaît.

FIGARO. – On dit une raison.

SUZANNE. – Si je n'en veux pas dire ?

FIGARO. – Oh ! quand elles sont sûres de nous !

SUZANNE. – Prouver que j'ai raison serait accorder que je puis
25 avoir tort. Es-tu mon serviteur, ou non ?

FIGARO. – Tu prends de l'humeur contre la chambre du château la plus commode, et qui tient le milieu des deux appartements. La nuit, si Madame est incommodée, elle sonnera de son côté ; zeste, en deux pas tu es chez elle. Monseigneur veut-il quelque

---

1. *Toise* : instrument de mesure d'une ancienne unité, la toise, équivalant à six pieds, soit près de deux mètres.
2. *Mon fils* : appellation amicale.

30   chose : il n'a qu'à tinter du sien ; crac, en trois sauts me voilà
rendu.

SUZANNE. – Fort bien ! Mais quand il aura *tinté* le matin, pour te
donner quelque bonne et longue commission, zeste, en deux
pas, il est à ma porte, et crac, en trois sauts…

35 FIGARO. – Qu'entendez-vous par ces paroles ?

SUZANNE. – Il faudrait m'écouter tranquillement.

FIGARO. – Eh, qu'est-ce qu'il y a ? bon Dieu !

SUZANNE. – Il y a, mon ami, que, las de courtiser les beautés des
environs, monsieur le comte Almaviva veut rentrer au château,

40   mais non pas chez sa femme ; c'est sur la tienne, entends-tu,
qu'il a jeté ses vues, auxquelles il espère que ce logement ne
nuira pas. Et c'est ce que le loyal Bazile, honnête agent de ses
plaisirs, et mon noble maître à chanter, me répète chaque jour,
en me donnant leçon.

45 FIGARO. – Bazile ! Ô mon mignon, si jamais volée de bois vert,
appliquée sur une échine, a dûment redressé la moelle épi-
nière à quelqu'un…

SUZANNE. – Tu croyais, bon garçon, que cette dot qu'on me donne
était pour les beaux yeux de ton mérite ?

50 FIGARO. – J'avais assez fait pour l'espérer.

SUZANNE. – Que les gens d'esprit sont bêtes !

FIGARO. – On le dit.

SUZANNE. – Mais c'est qu'on ne veut pas le croire.

FIGARO. – On a tort.

55 SUZANNE. – Apprends qu'il la destine à obtenir de moi secrète-
ment, certain quart d'heure, seul à seule, qu'un ancien droit
du seigneur[1]… Tu sais s'il était triste !

FIGARO. – Je le sais tellement, que si monsieur le Comte, en se
mariant, n'eût pas aboli ce droit honteux, jamais je ne t'eusse

60   épousée dans ses domaines.

---

1. *Droit du seigneur* : droit féodal exercé par un seigneur sur ses serfs, selon
lequel il peut posséder la jeune mariée pendant sa nuit de noces.

SUZANNE. – Eh bien, s'il l'a détruit, il s'en repent; et c'est de la fiancée qu'il veut le racheter en secret aujourd'hui.

FIGARO, *se frottant la tête*. – Ma tête s'amollit de surprise, et mon front fertilisé…

65 SUZANNE. – Ne le frotte donc pas!

FIGARO. – Quel danger?

SUZANNE, *riant*. – S'il y venait un petit bouton, des gens superstitieux…

FIGARO. – Tu ris, friponne! Ah! s'il y avait moyen d'attraper ce
70 grand trompeur, de le faire donner dans un bon piège, et d'empocher son or!

SUZANNE. – De l'intrigue et de l'argent, te voilà dans ta sphère.

FIGARO. – Ce n'est pas la honte qui me retient.

SUZANNE. – La crainte?

75 FIGARO. – Ce n'est rien d'entreprendre une chose dangereuse, mais d'échapper au péril en la menant à bien : car d'entrer chez quelqu'un la nuit, de lui souffler sa femme, et d'y recevoir cent coups de fouet pour la peine, il n'est rien plus aisé; mille sots coquins l'ont fait. Mais… *(On sonne de l'intérieur.)*

80 SUZANNE. – Voilà Madame éveillée; elle m'a bien recommandé d'être la première à lui parler le matin de mes noces.

FIGARO. – Y a-t-il encore quelque chose là-dessous?

SUZANNE. – Le berger dit que cela porte bonheur aux épouses délaissées. Adieu, mon petit Fi, Fi, Figaro; rêve à notre affaire.

85 FIGARO. – Pour m'ouvrir l'esprit, donne un petit baiser.

SUZANNE. – À mon amant aujourd'hui? Je t'en souhaite! Et qu'en dirait demain mon mari? *(Figaro l'embrasse.)*

SUZANNE. – Hé bien! hé bien!

FIGARO. – C'est que tu n'as pas d'idée de mon amour.

90 SUZANNE, *se défripant*. – Quand cesserez-vous, importun, de m'en parler du matin au soir?

FIGARO, *mystérieusement*. – Quand je pourrai te le prouver du soir jusqu'au matin. *(On sonne une seconde fois.)*

Suzanne, *de loin, les doigts unis sur sa bouche.* – Voilà votre baiser, monsieur ; je n'ai plus rien à vous.

Figaro *court après elle.* – Oh ! mais ce n'est pas ainsi que vous l'avez reçu.

Le Mariage de Figaro, GF-Flammarion « Dossier », 1999.

Le drame romantique

La liberté dans l'art

Dans les années 1820, le mouvement romantique trouve d'abord son expression dans la poésie avant de s'affirmer au théâtre et d'imposer une esthétique nouvelle, qui reflète la sensibilité contemporaine. Dans la préface de *Cromwell* (1827), considérée comme un véritable manifeste romantique, Victor Hugo, revendiquant une liberté artistique totale, rompt avec les règles du théâtre classique et définit les principes du drame. Au nom de la vérité, il rejette l'unité de lieu et de temps, mais conserve l'unité d'action, nécessaire à l'intelligibilité d'une pièce, tout en admettant des actions secondaires qui enrichissent et complexifient l'action principale. Pour rendre compte du réel et transcrire les contradictions qui sont au centre de la vie, il prône le mélange des genres et des registres que l'esthétique classique avait soigneusement séparés : le comique côtoie le tragique, et le sublime le grotesque. Tout en contraste, le drame romantique souligne la dualité des personnages et fait de l'antithèse une figure de style privilégiée. En outre, selon les mots de Victor Hugo, ce théâtre met « un bonnet rouge au vieux dictionnaire » et « disloqu[e] ce grand niais d'alexandrin ». Alors que la tragédie usait exclusivement d'un lexique noble, le drame n'hésite pas à employer des expressions familières. Certaines images font scandale, comme celle qu'utilise Doña

Sol dans *Hernani* (acte III, scène 4) : « Vous êtes mon lion superbe et généreux ! » L'alexandrin est mis au service de l'efficacité théâtrale. Le rythme ternaire, la césure mobile et les nombreux enjambements viennent briser sa rigidité.

La recherche de l'authenticité

Il s'agit de saisir la vie dans son ensemble sans jamais l'affadir. Dans cette perspective, le drame romantique accorde une place importante à l'histoire, qui permet d'inscrire l'humanité dans une destinée, en trouvant dans le passé des éléments de compréhension du présent. Ainsi, l'un des héros d'*Hernani* n'est autre que Don Carlos, le futur Charles Quint.

Dans le même temps, le drame romantique reflète les préoccupations et les enjeux de l'époque dans laquelle il s'inscrit : la passion y est revendiquée comme une force et non plus envisagée comme une faiblesse. Le héros s'affirme dans sa lutte contre la société dont il ne partage pas les valeurs : au *fatum* divin de la tragédie antique, repris dans la tragédie classique, se substitue un *fatum* social. Déçu dans ses aspirations à un monde meilleur, confronté à une réalité qu'il juge médiocre, le héros est rongé par la mélancolie.

■ Hugo, *Hernani*, acte III, scène 4 (1830)

Les principes du drame romantique ne s'imposent pas sans mal. La première représentation d'*Hernani* provoque une véritable bataille. La pièce est créée le 25 février 1830 à la Comédie-Française, haut lieu du théâtre classique, dans une atmosphère de conflit : dans la salle, les tenants du classicisme et les partisans du romantisme s'affrontent. Les uns huent la pièce dès les premiers vers tandis que les autres, sous la houlette de Théophile Gautier, applaudissent à tout rompre. Malgré l'agitation qui règne dans la salle (des fauteuils sont arrachés et brisés), la pièce de Victor Hugo (1802-1885) remporte un grand succès.

Proscrit en fuite, Hernani se fait passer pour un pèlerin et se réfugie chez Don Ruy Gomez, son ennemi et rival, qui s'apprête à épouser sa nièce, Doña Sol, dont Hernani est amoureux. À la scène 4 de l'acte III, le public découvre que la jeune femme partage les sentiments d'Hernani. Pour échapper à son mariage avec son vieil oncle, elle a caché un poignard au fond de son coffret à bijoux, afin de se donner la mort.

Héros aux prises avec le *fatum* social, Hernani forme avec Doña Sol un couple impossible, inscrit dans la lignée de celui de Roméo et Juliette. Influencé, comme ses pairs romantiques, par l'esthétique baroque, Victor Hugo multiplie ici les images frappantes, les exagérations et la ponctuation expressive.

Hernani considère avec un regard froid et comme inattentif l'écrin nuptial[1] placé sur la table; puis il hoche la tête, et ses yeux s'allument.

HERNANI

Je vous fais compliment! – Plus que je ne puis dire
La parure me charme, et m'enchante, – et j'admire!

Il s'approche de l'écrin.

895 La bague est de bon goût, – la couronne me plaît, –
Le collier est d'un beau travail, – le bracelet
Est rare, – mais cent fois, cent fois moins que la femme
Qui sous un front si pur cache ce cœur infâme!

Examinant de nouveau le coffret.

Et qu'avez-vous donné pour tout cela? – Fort bien!
900 Un peu de votre amour? mais vraiment, c'est pour rien!
Grand Dieu! trahir ainsi! n'avoir pas honte, et vivre!

Examinant l'écrin.

Mais peut-être après tout c'est perle fausse, et cuivre
Au lieu d'or, verre et plomb, diamants déloyaux,
Faux saphirs, faux bijoux, faux brillants, faux joyaux.

---

1. *Nuptial* : relatif au mariage.

905 Ah ! s'il en est ainsi, comme cette parure,
Ton cœur est faux, duchesse, et tu n'es que dorure !

Il revient au coffret.

Mais non, non. Tout est vrai, tout est bon, tout est beau.
Il n'oserait tromper, lui qui touche au tombeau !
Rien n'y manque.

Il prend l'une après l'autre toutes les pièces de l'écrin.

Collier, brillants, pendants d'oreille,
910 Couronne de duchesse, anneau d'or…, – à merveille !
Grand merci de l'amour sûr, fidèle et profond !
Le précieux écrin !

DOÑA SOL

Elle va au coffret, y fouille, et en tire un poignard.

Vous n'allez pas au fond. –
C'est le poignard qu'avec l'aide de ma patronne[1]
Je pris au roi Carlos, lorsqu'il m'offrit un trône[2],
915 Et que je refusai pour vous qui m'outragez !

HERNANI, *tombant à ses pieds.*

Oh ! laisse qu'à genoux dans tes yeux affligés
J'efface tous ces pleurs amers et pleins de charmes !
Et tu prendras après tout mon sang pour tes larmes !

DOÑA SOL, *attendrie.*

Hernani ! je vous aime et vous pardonne, et n'ai
920 Que de l'amour pour vous.

HERNANI

Elle m'a pardonné,
Et m'aime ! Qui pourra faire aussi que moi-même,
Après ce que j'ai dit, je me pardonne et m'aime ?

---

1. *Patronne* : sainte dont on porte le nom.
2. Le roi, futur Charles Quint, est lui aussi amoureux de Doña Sol.

Oh ! je voudrais savoir, ange au ciel réservé,
Où vous avez marché, pour baiser le pavé !

DOÑA SOL

925 Ami !

HERNANI

Non ! je dois t'être odieux ! Mais, écoute,
Dis-moi : je t'aime ! – Hélas ! rassure un cœur qui doute,
Dis-le-moi ! car souvent avec ce peu de mots
La bouche d'une femme a guéri bien des maux !

DOÑA SOL, *absorbée et sans l'entendre.*

Croire que mon amour eût si peu de mémoire !
930 Que jamais ils pourraient, tous ces hommes sans gloire,
Jusqu'à d'autres amours, plus nobles à leur gré,
Rapetisser un cœur où son nom est entré !

HERNANI

Hélas ! j'ai blasphémé ! si j'étais à ta place,
Doña Sol, j'en aurais assez, je serais lasse
935 De ce fou furieux, de ce sombre insensé
Qui ne sait caresser qu'après qu'il a blessé.
Je lui dirais : Va-t'en ! – Repousse-moi, repousse !
Et je te bénirai, car tu fus bonne et douce,
Car tu m'as supporté trop longtemps, car je suis
940 Mauvais, je noircirais tes jours avec mes nuits !
Car c'en est trop enfin, ton âme est belle et haute
Et pure, et si je suis méchant, est-ce ta faute ?
Épouse le vieux duc ! il est bon, noble, il a
Par sa mère Olmedo, par son père Alcala[1].
945 Encore un coup, sois riche avec lui, sois heureuse !
Moi, sais-tu ce que peut cette main généreuse

---

1. *Olmedo*, *Alcala* : terres espagnoles.

T'offrir de magnifique ? une dot de douleurs.
Tu pourras y choisir ou du sang ou des pleurs.
L'exil, les fers, la mort, l'effroi qui m'environne,
950 C'est là ton collier d'or, c'est ta belle couronne,
Et jamais à l'épouse un époux plein d'orgueil
N'offrit plus riche écrin de misère et de deuil !
Épouse le vieillard, te dis-je ! il te mérite !
Eh ! qui jamais croira que ma tête proscrite
955 Aille avec ton front pur ? qui, nous voyant tous deux,
Toi, calme et belle, moi, violent, hasardeux,
Toi, paisible et croissant comme une fleur à l'ombre,
Moi, heurté dans l'orage à des écueils sans nombre,
Qui dira que nos sorts suivent la même loi ?
960 Non. Dieu qui fait tout bien ne te fit pas pour moi.
Je n'ai nul droit d'en haut sur toi, je me résigne !
J'ai ton cœur, c'est un vol ! je le rends au plus digne.
Jamais à nos amours le ciel n'a consenti.
Si j'ai dit que c'était ton destin, j'ai menti !
965 D'ailleurs, vengeance, amour, adieu ! mon jour s'achève.
Je m'en vais, inutile, avec mon double rêve,
Honteux de n'avoir pu ni punir, ni charmer,
Qu'on m'ait fait pour haïr, moi qui n'ai su qu'aimer !
Pardonne-moi ! fuis-moi ! ce sont mes deux prières.
970 Ne les rejette pas, car ce sont les dernières !
Tu vis, et je suis mort. Je ne vois pas pourquoi
Tu te ferais murer dans ma tombe avec moi !

DOÑA SOL

Ingrat !

HERNANI

Monts d'Aragon ! Galice ! Estramadoure[1] ! –

---

1. *Aragon*, *Galice*, *Estramadoure* : provinces d'Espagne. Hernani y a recruté des jeunes gens dont il a fait ses partisans.

Oh! je porte malheur à tout ce qui m'entoure! –
975 J'ai pris vos meilleurs fils; pour mes droits, sans remords
Je les ai fait combattre, et voilà qu'ils sont morts!
C'étaient les plus vaillants de la vaillante Espagne!
Ils sont morts! ils sont tous tombés dans la montagne,
Tous sur le dos couchés, en braves, devant Dieu,
980 Et si leurs yeux s'ouvraient, ils verraient le ciel bleu!
Voilà ce que je fais de tout ce qui m'épouse!
Est-ce une destinée à te rendre jalouse?
Doña Sol, prends le duc, prends l'enfer, prends le roi!
C'est bien. Tout ce qui n'est pas moi vaut mieux que moi!
985 Je n'ai plus un ami qui de moi se souvienne,
Tout me quitte, il est temps qu'à la fin ton tour vienne,
Car je dois être seul. Fuis ma contagion.
Ne te fais pas d'aimer une religion!
Oh! par pitié pour toi, fuis! – Tu me crois peut-être
990 Un homme comme sont tous les autres, un être
Intelligent, qui court droit au but qu'il rêva.
Détrompe-toi. Je suis une force qui va!
Agent aveugle et sourd de mystères funèbres!
Une âme de malheur faite avec des ténèbres!
995 Où vais-je? je ne sais. Mais je me sens poussé
D'un souffle impétueux, d'un destin insensé.
Je descends, je descends, et jamais ne m'arrête.
Si parfois, haletant, j'ose tourner la tête,
Une voix me dit : Marche! et l'abîme est profond,
1000 Et de flamme ou de sang je le vois rouge au fond!
Cependant, à l'entour de ma course farouche[1],
Tout se brise, tout meurt. Malheur à qui me touche!
Oh! fuis! détourne-toi de mon chemin fatal.
Hélas! sans le vouloir, je te ferais du mal!

---

1. *Farouche* : violente.

DOÑA SOL

1005 Grand Dieu !

HERNANI

C'est un démon redoutable, te dis-je,
Que le mien. Mon bonheur, voilà le seul prodige
Qui lui soit impossible. Et toi, c'est le bonheur !
Tu n'es donc pas pour moi, cherche un autre seigneur !
Va, si jamais le ciel à mon sort qu'il renie
1010 Souriait… n'y crois pas ! ce serait ironie.
Épouse le duc !

DOÑA SOL

Donc ce n'était pas assez !
Vous aviez déchiré mon cœur, vous le brisez.
Ah ! vous ne m'aimez plus !

HERNANI

Oh ! mon cœur et mon âme,
C'est toi ! l'ardent foyer d'où me vient toute flamme,
1015 C'est toi ! ne m'en veux pas de fuir, être adoré !

DOÑA SOL

Je ne vous en veux pas. Seulement, j'en mourrai.

HERNANI

Mourir ! pour qui ? pour moi ? se peut-il que tu meures
Pour si peu ?

DOÑA SOL, *laissant éclater ses larmes.*
Voilà tout.

Elle tombe sur un fauteuil.

HERNANI, *s'asseyant près d'elle.*

Oh ! tu pleures ! tu pleures !
Et c'est encor[1] ma faute ! Et qui me punira ?
020 Car tu pardonneras encor ! Qui te dira
Ce que je souffre au moins, lorsqu'une larme noie
La flamme de tes yeux dont l'éclair est ma joie ?
Oh ! mes amis sont morts ! oh ! je suis insensé !
Pardonne. Je voudrais aimer, je ne le sai[2] !
025 Hélas ! j'aime pourtant d'une amour[3] bien profonde ! –
Ne pleure pas, mourons plutôt ! – Que n'ai-je un monde ?
Je te le donnerais ! Je suis bien malheureux !

DOÑA SOL, *se jetant à son cou.*

Vous êtes mon lion superbe et généreux !
Je vous aime.

HERNANI

Oh ! l'amour serait un bien suprême
030 Si l'on pouvait mourir de trop aimer !

DOÑA SOL

Je t'aime !
Monseigneur ! Je vous aime et je suis toute à vous.

HERNANI, *laissant tomber sa tête sur son épaule.*

Oh ! qu'un coup de poignard de toi me serait doux !

DOÑA·SOL, *suppliante.*

Ah ! ne craignez-vous pas que Dieu ne vous punisse
De parler de la sorte ?

---

1. Élision du *e* final, pour des raisons de versification.
2. *Sai* : licence poétique.
3. *Une amour* : licence poétique ; «amour» est féminin jusqu'au XVIIᵉ siècle.

HERNANI, *toujours appuyé sur son sein.*

Eh bien ! qu'il nous unisse !

1035 Tu le veux. Qu'il en soit ainsi ! – J'ai résisté.

Tous deux, dans les bras l'un de l'autre, se regardent avec extase, sans voir, sans entendre et comme absorbés dans leur regard. – Entre don Ruy Gomez par la porte du fond. Il regarde, et s'arrête comme pétrifié sur le seuil.

Hernani, GF-Flammarion « Dossier »,
1996, v. 893-1035.

■ Dumas, *Antony*, acte V, scènes 3 et 4 (1831)

Si Alexandre Dumas (1802-1870) est passé à la postérité grâce à ses romans historiques – *Les Trois Mousquetaires* (1844), *La Reine Margot* (1845) et *Le Comte de Monte-Cristo* (1844-1845) –, c'est le théâtre qui, de son vivant, le fait accéder à la célébrité. Il connaît son premier succès avec *Henri III et sa cour* (1829), et *Antony* (1831) le conduit au faîte de sa gloire.

Pour écrire cette pièce, Dumas s'inspire de sa vie : Adèle pourrait être Mélanie Waldor, une jeune femme mariée à un officier, à laquelle l'auteur voua une grande passion ; et Antony, bâtard qui, en raison de sa naissance, n'a pu épouser Adèle, trouve des échos chez l'écrivain auquel on a reproché ses origines[1].

Antony s'est éloigné pour oublier la femme aimée, sans pouvoir y parvenir. Trois ans après son départ, il revient vers l'objet de sa passion. Adèle est alors mariée au colonel d'Hervey et mère d'une petite fille. Malgré ses efforts pour être fidèle à son époux, elle cède à l'amour et s'apprête à fuir avec Antony.

Le dénouement de la pièce se caractérise par son action scénique (Marie Dorval, l'une des premières comédiennes à incarner Adèle,

---

1. Dumas est fils de « mulâtre » – son père, le général Dumas, est né d'un gentilhomme colonialiste et d'une esclave noire – et doit endurer les griefs d'un siècle qui épingle son teint bistre et ses cheveux crépus.

faisait vibrer le public en se laissant choir par-dessus le bras d'un fauteuil!) et son suspens. À la société qui fait obstacle à leur bonheur, Adèle et Antony opposent la force de leurs sentiments, au point que – situation originale – le mari d'Adèle apparaît comme un usurpateur illégitime, quand c'est généralement la position dévolue à l'amant.

Scène 3

[...]

ANTONY. – Écoute, je suis libre, moi ; partout où j'irai, ma fortune me suivra ; puis, me manquât-elle, j'y suppléerai facilement. Une voiture est en bas... Écoute, et réfléchis qu'il n'y a pas d'autre moyen[1] : si un cœur dévoué, si une existence d'homme tout entière que je jette à tes pieds... te suffisent... dis oui ; l'Italie, l'Angleterre, l'Allemagne, nous offrent un asile... Je t'arrache à ta famille, à ta patrie... Eh bien, je serai pour toi et famille et patrie... En changeant de nom, nul ne saura qui nous sommes pendant notre vie, nul ne saura qui nous avons été après notre mort. Nous vivrons isolés, tu seras mon bien, mon Dieu, ma vie ; je n'aurai d'autre volonté que la tienne, d'autre bonheur que le tien... Viens, viens, et nous oublierons les autres pour ne nous souvenir que de nous.

ADÈLE. – Oui, oui... Eh bien, un mot à Clara.

ANTONY. – Nous n'avons pas une minute à perdre.

ADÈLE. – Ma fille !... il faut que j'embrasse ma fille... Vois-tu, c'est un dernier adieu, un adieu éternel.

ANTONY. – Oui, oui, va, va.

Il la pousse.

ADÈLE. – Oh ! mon Dieu !

ANTONY. – Mais qu'as-tu donc ?

ADÈLE. – Ma fille !... quitter ma fille... à qui on demandera compte un jour de la faute de sa mère, qui vivra peut-être, mais qui ne

---

1. Pour échapper au mari d'Adèle, le colonel d'Hervey, qui a appris la trahison de sa femme.

vivra plus pour elle… Ma fille !… Pauvre enfant ! qui croira
25   se présenter pure et innocente au monde, et qui se présentera
déshonorée comme sa mère, et par sa mère !

ANTONY. – Oh ! mon Dieu !

ADÈLE. – N'est-ce pas que c'est vrai ?… Une tache tombée sur
un nom ne s'efface pas ; elle le creuse, elle le ronge, elle le
30   dévore… Oh ! ma fille ! ma fille !

ANTONY. – Eh bien, emmenons-la, qu'elle vienne avec nous…
Hier encore, j'aurais cru ne pouvoir l'aimer, cette fille d'un
autre… et de toi… Eh bien, elle sera ma fille, mon enfant
chéri ; je l'aimerai comme celui… Mais prends-la et partons…
35   Prends-la donc, chaque instant te perd. À quoi songes-tu ? Il
va venir, il vient, il est là !…

ADÈLE. – Oh ! malheureuse !… où en suis-je venue ? où m'as-tu
conduite ? Et il n'a fallu que trois mois pour cela !… Un
homme me confie son nom,… met en moi son bonheur…
40   Sa fille !… il l'adore !… c'est son espoir de vieillesse,… l'être
dans lequel il doit se survivre… Tu viens, il y a trois mois ;
mon amour éteint se réveille, je souille le nom qu'il me confie,
je brise tout le bonheur qui reposait sur moi… Et ce n'est pas
tout encore, non, car ce n'est point assez : je lui enlève l'en-
45   fant de son cœur, je déshérite ses vieux jours des caresses de
sa fille… et, en échange de son amour,… je lui rends honte,
malheur et abandon… Sais-tu, Antony, que c'est infâme.

ANTONY. – Que faire alors ?

ADÈLE. – Rester.

50 ANTONY. – Et, lorsqu'il découvrira tout ?…

ADÈLE. – Il me tuera.

ANTONY. – Te tuer !… lui, te tuer ?… toi, mourir ?… moi, te perdre ?… C'est impossible !… Tu ne crains donc pas la mort,
toi ?

55 ADÈLE. – Oh ! non !… elle réunit…

ANTONY. – Elle sépare… Penses-tu que je croie à tes rêves, moi…
et que sur eux j'aille risquer ce qu'il me reste de vie et de

bonheur?... Tu veux mourir? Eh bien, écoute, moi aussi, je le
veux... Mais je ne veux pas mourir seul, vois-tu... et je ne veux
60 pas que tu meures seule... Je serais jaloux du tombeau qui te
renfermerait. Béni soit Dieu qui m'a fait une vie isolée que je
puis quitter sans coûter une larme à des yeux aimés! béni soit
Dieu qui a permis qu'à l'âge de l'espoir j'eusse tout épuisé et
fusse fatigué de tout!... Un seul lien m'attachait à ce monde :
65 il se brise... Et moi aussi, je veux mourir!... mais avec toi; je
veux que les derniers battements de nos cœurs se répondent,
que nos derniers soupirs se confondent... Comprends-tu?...
une mort douce comme un sommeil, une mort plus heureuse
que toute notre vie... Puis, qui sait? par pitié, peut-être jettera-
70 t-on nos corps dans le même tombeau.

ADÈLE. – Oh! oui, cette mort avec toi, l'éternité dans tes bras...
Oh! ce serait le ciel, si ma mémoire pouvait mourir avec
moi... Mais, comprends-tu, Antony?... cette mémoire, elle
restera vivante au cœur de tous ceux qui nous ont connus...
75 On demandera compte à ma fille de ma vie et de ma mort...
On lui dira : «Ta mère!... elle a cru qu'un nom taché se lavait
avec du sang... Enfant, ta mère s'est trompée, son nom est à
jamais déshonoré, flétri! et toi, toi!... tu portes le nom de ta
mère...» On lui dira : «Elle a cru fuir la honte en mourant...
80 et elle est morte dans les bras de l'homme à qui elle devait sa
honte»; et, si elle veut nier, on lèvera la pierre de notre tombeau, et l'on dira : «Regarde, les voilà!»

ANTONY. – Oh! nous sommes donc maudits? Ni vivre ni mourir
enfin!

85 ADÈLE. – Oui... oui, je dois mourir seule... Tu le vois, tu me perds
ici sans espoir de me sauver... Tu ne peux plus qu'une chose
pour moi... Va-t'en, au nom du ciel, va-t'en!

ANTONY. – M'en aller!... te quitter!... quand il va venir, lui?...
T'avoir reprise et te reperdre?... Enfer!... et s'il ne te tuait
90 pas?... s'il te pardonnait?... Avoir commis, pour te posséder,
rapt, violence et adultère, et, pour te conserver, hésiter devant

un nouveau crime ?... perdre mon âme pour si peu ? Satan en rirait ; tu es folle... Non... non, tu es à moi comme l'homme est au malheur... *(La prenant dans ses bras.)* Il faut que tu vives pour moi... Je t'emporte... Malheur à qui m'arrête !...

95

ADÈLE. – Oh ! oh !

ANTONY. – Cris et pleurs, qu'importe !...

ADÈLE. – Ma fille ! ma fille !

ANTONY. – C'est un enfant... Demain, elle rira.

100

Ils sont près de sortir.

On entend deux coups de marteau à la porte cochère.

ADÈLE, *s'échappant des bras d'Antony.* – Ah ! c'est lui... Oh ! mon Dieu ! mon Dieu ! ayez pitié de moi, pardon, pardon !

ANTONY, *la quittant.* – Allons, tout est fini !

105

ADÈLE. – On monte l'escalier... On sonne... C'est lui... Fuis, fuis !

ANTONY, *fermant la porte.* – Eh ! je ne veux pas fuir, moi... Écoute... Tu disais tout à l'heure que tu ne craignais pas la mort ?

ADÈLE. – Non, non... Oh ! tue-moi, par pitié !

110

ANTONY. – Une mort qui sauverait ta réputation, celle de ta fille ?

ADÈLE. – Je la demanderais à genoux.

UNE VOIX, *en dehors.* – Ouvrez !... ouvrez !... Enfoncez cette porte...

115

ANTONY. – Et, à ton dernier soupir, tu ne haïrais pas ton assassin ?

ADÈLE. – Je le bénirais... Mais hâte-toi !... cette porte...

ANTONY. – Ne crains rien, la mort sera ici avant lui... Mais, songes-y, la mort !

120

ADÈLE. – Je la demande, je la veux, je l'implore ! *(Se jetant dans ses bras.)* Je viens la chercher.

ANTONY, *lui donnant un baiser.* – Eh bien, meurs !

Il la poignarde.

ADÈLE, *tombant dans un fauteuil.* – Ah !...

Au même moment, la porte du fond est enfoncée; le colonel d'Hervey se précipite sur le théâtre.

Scène 4

LE COLONEL. – Infâme!... Que vois-je?... Adèle!... morte!...

ANTONY. – Oui! morte! Elle me résistait, je l'ai assassinée!...

Il jette son poignard aux pieds du Colonel.

Antony, La Table Ronde, 1994.

■ Musset, *On ne badine pas avec l'amour*, acte II, scène 5 (1834)

En 1830, avec la publication de ses *Contes d'Espagne et d'Italie*, Alfred de Musset (1810-1857) connaît une célébrité soudaine. Comme de nombreux romantiques, il est tenté par le théâtre, mais sa première pièce, *La Nuit vénitienne* (1830), est un échec total. Dès lors, il n'écrit plus pour être joué, mais pour être lu, envisageant le théâtre comme « un spectacle dans un fauteuil ».

Par son titre, *On ne babine pas avec l'amour* s'inscrit dans le genre mondain du proverbe, très en vogue dans la seconde moitié du XVIIIe siècle, qui consiste à improviser une ou plusieurs saynètes à partir d'un canevas simple et illustrant une leçon tirée de l'expérience. Toutefois, la longueur du texte et la complexité de l'intrigue, la variété des décors et le mélange des tons confèrent à la pièce de Musset une portée qui dépasse celle du divertissement de salon. Imprégnée de pessimisme et de chagrin, elle se ressent, comme beaucoup d'œuvres du poète, de sa liaison tumultueuse avec George Sand (1833-1835).

À l'issue de ses études, Perdican rejoint le château paternel, où il retrouve Camille, sa cousine tout juste sortie du couvent. Leur mariage est prévu de longue date. Mais Camille, parce qu'elle craint les souffrances de l'amour, prend ses distances avec son cousin. Le jeune homme tente alors de susciter la jalousie de sa promise en courtisant Rosette, une paysanne. Après un long badinage, Camille et Perdican finissent par s'avouer leur amour. Mais la mort de Rosette, qui ne peut surmonter son chagrin, rend leur passion impossible.

À l'acte II, Camille, qui repousse Perdican, sollicite un entretien avec lui pour lui expliquer son comportement et lui demander conseil : la jeune femme a décidé de se faire religieuse. La scène tourne à l'affrontement idéologique entre Camille, qui voit dans l'engagement religieux une félicité, et Perdican qui y voit une hypocrisie. Toutefois, le dialogue révèle chez les deux personnages la même aspiration à un idéal que serait l'amour.

PERDICAN. – [...] Tu as raison de te faire religieuse.

CAMILLE. – Vous me disiez non tout à l'heure.

PERDICAN. – Ai-je dit non ? Cela est possible.

CAMILLE. – Ainsi vous me le conseillez ?

5 PERDICAN. – Ainsi tu ne crois à rien ?

CAMILLE. – Lève la tête, Perdican : quel est l'homme qui ne croit à rien ?

PERDICAN, *se levant*. – En voilà un ; je ne crois pas à la vie immortelle. – Ma sœur chérie, les religieuses t'ont donné leur expé-
10   rience ; mais, crois-moi, ce n'est pas la tienne ; tu ne mourras pas sans aimer.

CAMILLE. – Je veux aimer, mais je ne veux pas souffrir ; je veux aimer d'un amour éternel, et faire des serments qui ne se violent pas. Voilà mon amant.

15   *Elle montre son crucifix.*

PERDICAN. – Cet amant-là n'exclut pas les autres.

CAMILLE. – Pour moi, du moins, il les exclura. Ne souriez pas, Perdican ! Il y a dix ans que je ne vous ai vu, et je pars demain. Dans dix autres années, si nous nous revoyons, nous en repar-
20   lerons. J'ai voulu ne pas rester dans votre souvenir comme une froide statue ; car l'insensibilité mène au point où j'en suis. Écoutez-moi : retournez à la vie, et tant que vous serez heureux, tant que vous aimerez comme on peut aimer sur la

■ Dans sa mise en scène d'*On ne badine pas avec l'amour*, représentée au théâtre de la Croix-Rousse à Lyon en 2006, Philippe Faure fait évoluer ses personnages sur une étendue inclinée d'herbe verte. Rappelant le « sentier vert » des amants évoqué par Musset dans un poème dédié à George Sanc, ce pan de prairie symbolise les amours innocentes qui se jouent entre les personnages de la pièce. Mais, associée aux costumes sombres des comédiens, la couleur froide de l'espace scénique annonce aussi l'issue tragique du badinage de Camille (Anne Coste) et Perdican (Marc Voisin) – au premier plan –, dont Rosette (Claudine Charreyre) sera la défunte victime.

terre, oubliez votre sœur Camille ; mais s'il vous arrive jamais
d'être oublié ou d'oublier vous-même, si l'ange de l'espérance
vous abandonne, lorsque vous serez seul avec le vide dans le
cœur, pensez à moi qui prierai pour vous.

PERDICAN. – Tu es une orgueilleuse ; prends garde à toi.

CAMILLE. – Pourquoi ?

PERDICAN. – Tu as dix-huit ans, et tu ne crois pas à l'amour !

CAMILLE. – Y croyez-vous, vous qui parlez ? Vous voilà courbé
près de moi avec des genoux qui se sont usés sur les tapis
de vos maîtresses, et vous n'en savez plus le nom. Vous avez
pleuré des larmes de joie et des larmes de désespoir ; mais
vous saviez que l'eau des sources est plus constante que vos
larmes, et qu'elle serait toujours là pour laver vos paupières
gonflées. Vous faites votre métier de jeune homme, et vous
souriez quand on vous parle de femmes désolées ; vous ne
croyez pas qu'on puisse mourir d'amour, vous qui vivez et
qui avez aimé. Qu'est-ce donc que le monde ? Il me semble
que vous devez cordialement mépriser les femmes qui vous
prennent tels que vous êtes, et qui chassent leur dernier amant
pour vous attirer dans leurs bras avec les baisers d'un autre
sur les lèvres. Je vous demandais tout à l'heure si vous aviez
aimé ; vous m'avez répondu comme un voyageur à qui l'on
demanderait s'il a été en Italie ou en Allemagne, et qui dirait :
Oui, j'y ai été ; puis qui penserait à aller en Suisse, ou dans le
premier pays venu. Est-ce donc une monnaie que votre amour,
pour qu'il puisse passer ainsi de main en main jusqu'à la
mort ? Non, ce n'est pas même une monnaie ; car la plus
mince pièce d'or vaut mieux que vous, et dans quelque main
qu'elle passe, elle garde son effigie[1].

PERDICAN. – Que tu es belle, Camille, lorsque tes yeux s'ani-
ment !

---

1. Effigie : représentation d'une personne sur une pièce de monnaie, sur une
médaille.

55 CAMILLE. – Oui, je suis belle, je le sais. Les complimenteurs ne m'apprendront rien : la froide nonne[1] qui coupera mes cheveux pâlira peut-être de sa mutilation ; mais ils ne se changeront pas en bagues et en chaînes pour courir les boudoirs[2] ; il n'en manquera pas un seul sur ma tête, lorsque le fer y pas-
60 sera ; je ne veux qu'un coup de ciseau, et quand le prêtre qui me bénira me mettra au doigt l'anneau d'or de mon époux céleste[3], la mèche de cheveux que je lui donnerai pourra lui servir de manteau.

PERDICAN. – Tu es en colère, en vérité.

65 CAMILLE. – J'ai eu tort de parler ; j'ai ma vie entière sur les lèvres. Ô Perdican ! ne raillez pas ; tout cela est triste à mourir.

PERDICAN. – Pauvre enfant, je te laisse dire, et j'ai bien envie de te répondre un mot. Tu me parles d'une religieuse[4] qui me paraît avoir eu sur toi une influence funeste ; tu dis qu'elle a
70 été trompée, qu'elle a trompé elle-même, et qu'elle est désespérée. Es-tu sûre que si son mari ou son amant revenait lui tendre la main à travers la grille du parloir, elle ne lui tendrait pas la sienne ?

CAMILLE. – Qu'est-ce que vous dites ? J'ai mal entendu.

75 PERDICAN. – Es-tu sûre que si son mari ou son amant revenait lui dire de souffrir encore, elle répondrait non ?

CAMILLE. – Je le crois, je le crois.

PERDICAN. – Il y a deux cents femmes dans ton monastère, et la plupart ont au fond du cœur des blessures profondes ; elles

---

1. Nonne : religieuse.

2. Boudoirs : petits salons où les femmes reçoivent leurs intimes. Le terme possède une connotation de libertinage amoureux.

3. Musset décrit ici le rite de la cérémonie d'entrée en religion. Le Christ est l'époux céleste ou mystique des religieuses qui portent un anneau pour symboliser cette union.

4. Dans la même scène, Camille évoque une religieuse de son couvent qui a été mariée ; son mari l'a trompée, elle a aimé un autre homme et se meurt désormais de désespoir.

80   te les ont fait toucher, et elles ont coloré ta pensée virginale
      des gouttes de leur sang. Elles ont vécu, n'est-ce pas ? et elles
      t'ont montré avec horreur la route de leur vie ; tu t'es signée[1]
      devant leurs cicatrices, comme devant les plaies de Jésus ; elles
      t'ont fait une place dans leurs processions lugubres, et tu te
85   serres contre ces corps décharnés[2] avec une crainte religieuse,
      lorsque tu vois passer un homme. Es-tu sûre que si l'homme
      qui passe était celui qui les a trompées, celui pour qui elles
      pleurent et elles souffrent, celui qu'elles maudissent en priant
      Dieu, es-tu sûre qu'en le voyant, elles ne briseraient pas leurs
90   chaînes pour courir à leurs malheurs passés, et pour presser
      leurs poitrines sanglantes sur le poignard qui les a meurtries ?
      Ô mon enfant ! sais-tu les rêves de ces femmes, qui te disent
      de ne pas rêver ? Sais-tu quel nom elles murmurent quand
      les sanglots qui sortent de leurs lèvres font trembler l'hostie
95   qu'on leur présente ? Elles qui s'assoient près de toi avec leurs
      têtes branlantes pour verser dans ton oreille leur vieillesse
      flétrie, elles qui sonnent dans les ruines de ta jeunesse le toc-
      sin[3] de leur désespoir, et qui font sentir à ton sang vermeil la
      fraîcheur de leurs tombes, sais-tu qui elles sont ?
100 CAMILLE. – Vous me faites peur ; la colère vous prend aussi.
      PERDICAN. – Sais-tu ce que c'est que des nonnes, malheureuse
      fille ? Elles qui te représentent l'amour des hommes comme
      un mensonge, savent-elles qu'il y a pis encore, le mensonge
      de l'amour divin ? Savent-elles que c'est un crime qu'elles font
105 de venir chuchoter à une vierge des paroles de femme ? Ah !
      comme elles t'ont fait la leçon ! Comme j'avais prévu tout cela
      quand tu t'es arrêtée devant le portrait de notre vieille tante !
      Tu voulais partir sans me serrer la main ; tu ne voulais revoir
      ni ce bois ni cette pauvre petite fontaine, qui nous regarde

---

1. *Tu t'es signée* : tu as fait le signe de croix.
2. *Décharnés* : qui n'ont plus de chair, très maigres.
3. *Tocsin* : sonnerie de cloche répétée et prolongée pour alerter d'un danger
ou avertir d'un deuil.

110 tout en larmes ; tu reniais les jours de ton enfance, et le masque de plâtre que les nonnes t'ont plaqué sur les joues me refusait un baiser de frère ; mais ton cœur a battu, il a oublié sa leçon, lui qui ne sait pas lire, et tu es revenue t'asseoir sur l'herbe où nous voilà. Eh bien ! Camille, ces femmes ont bien
115 parlé ; elles t'ont mise dans le vrai chemin ; il pourra m'en coûter le bonheur de ma vie ; mais dis-leur cela de ma part : le ciel n'est pas pour elles.

CAMILLE. – Ni pour moi, n'est-ce pas ?

PERDICAN. – Adieu, Camille, retourne à ton couvent, et lorsqu'on
120 te fera de ces récits hideux qui t'ont empoisonnée, réponds ce que je vais te dire : Tous les hommes sont menteurs, inconstants, faux, bavards, hypocrites, orgueilleux et lâches, méprisables et sensuels ; toutes les femmes sont perfides, artificieuses[1], vaniteuses, curieuses et dépravées[2] ; le monde n'est
125 qu'un égout sans fond où les phoques les plus informes rampent et se tordent sur des montagnes de fange[3] ; mais il y a au monde une chose sainte et sublime, c'est l'union de deux de ces êtres si imparfaits et si affreux. On est souvent trompé en amour, souvent blessé et souvent malheureux ; mais on
130 aime, et quand on est sur le bord de sa tombe, on se retourne pour regarder en arrière, et on se dit : « J'ai souffert souvent, je me suis trompé quelquefois ; mais j'ai aimé. C'est moi qui ai vécu, et non pas un être factice créé par mon orgueil et mon ennui. »

135 *Il sort.*

On ne badine pas avec l'amour, GF-Flammarion,
coll. « Étonnants Classiques », 1999.

---

1. *Artificieuses* : rusées, hypocrites.
2. *Dépravées* : sans morale.
3. *Fange* : boue très sale, symbole de souillure et de bassesse.

Le vaudeville

À partir du milieu du XIXe siècle, alors que le romantisme s'essouffle, le vaudeville connaît son heure de gloire. Divertissements populaires, les vaudevilles se caractérisent moins par leur diversité que par leur uniformité, usant de procédés comiques stéréotypés et mettant en scène un thème presque unique – l'adultère, ses joies et ses tourments – et un trio récurrent, celui du mari, de la femme et de l'amant ou de la maîtresse. Les écarts à la fidélité sont tolérés pourvu que les apparences soient sauves. Dans l'hypocrisie générale, les actes des uns et des autres viennent contredire leurs déclarations moralisatrices.

Les portes claquent, les personnages se poursuivent : le vaudeville est un théâtre du mouvement. « Une pièce est une bête à mille pattes qui doit toujours être en route. Si elle ralentit, le public bâille ; si elle s'arrête, il siffle », écrit Labiche. Le rythme y est donc soutenu – ce qui ravive l'intérêt pour les pièces en un acte.

Provoquant le rire par des procédés qui rappellent ceux de la farce, le vaudeville place le spectateur en position de supériorité : il se moque des personnages, parfois sans voir en quoi il leur ressemble.

■ Labiche, *Un chapeau de paille d'Italie*, acte I, scènes 5 et 6 (1851)

Entouré de nombreux collaborateurs, parmi lesquels Alfred Delacour, Auguste Lefranc et Marc-Michel, Eugène Labiche (1815-1888) écrit cent soixante-quatorze pièces en quarante ans. Dès *Un chapeau de paille d'Italie* (1851), il connaît un franc succès qui ne se démentira pas.

Dans cette pièce, Fadinard vit un véritable cauchemar le jour de son mariage avec Hélène : alors qu'il se rend chez lui pour se préparer à accueillir la noce, son cheval mange le chapeau de paille d'une jeune demoiselle en galante compagnie. Il lui faut alors affronter le couple – Anaïs et Émile –, mais aussi son propre beau-père – Nonancourt –, prêt à rompre l'engagement de sa fille à la moindre contrariété. Le mariage est finalement occulté par une quête effrénée pour trouver un chapeau identique à celui qui a été mangé. Le comique des scènes 5 et 6 de l'acte I repose sur la répétition de mots (réitérée au cours de la scène 5, l'injonction d'Anaïs « Émile ! » est de plus en plus vaine), de situations (deux fois, Fadinard est sommé de s'excuser auprès d'une jeune fille qu'il n'a pourtant pas le sentiment d'avoir blessée) et de gestes (Émile casse les chaises, Nonancourt secoue le pied, Hélène se gratte le dos). Déshumanisés, les personnages agissent comme des pantins. Personne ne s'émeut des difficultés que rencontre Fadinard le jour de ses noces, ni ne s'inquiète des sentiments d'Hélène. Annonçant la définition qu'en donnera Bergson – « mécanique plaquée sur du vivant » –, le rire est provoqué par la mécanisation des personnages.

Scène 5

Anaïs, Fadinard, Émile, *en costume d'officier.*

La porte s'ouvre, on voit en dehors une dame sans chapeau[1] *et un officier.*
Anaïs, *à Émile.* – Non, monsieur Émile… je vous en prie…
Émile. – Entrez, Madame, ne craignez rien.

Ils entrent.

---

1. À cette époque, une femme respectable ne pouvait sortir sans chapeau.

FADINARD, *à part.* — La dame au chapeau et son Africain[1]!...
Sapristi !

ANAÏS, *troublée.* — Émile, pas de scandale !

ÉMILE. — Soyez tranquille !... je suis votre cavalier... *(À Fadinard.)*
Vous ne comptiez pas nous revoir si tôt, Monsieur ?...

FADINARD, *avec un sourire forcé.* — Certainement... votre visite me
flatte beaucoup... mais j'avoue qu'en ce moment... *(À part.)*
Qu'est-ce qu'ils me veulent ?...

ÉMILE, *brusquement.* — Offrez donc un siège à Madame.

FADINARD, *avançant un fauteuil.* — Ah ! pardon... Madame désire
s'asseoir ?... Je ne savais pas... *(À part.)* Et ma noce[2] que j'attends...

Anaïs s'assoit.

ÉMILE, *s'asseyant à droite.* — Vous avez un cheval qui marche bien,
Monsieur.

FADINARD. — Pas mal... Vous êtes bien bon... Est-ce que vous
l'avez suivi à pied ?

ÉMILE. — Du tout, Monsieur : j'ai fait monter mon brosseur[3] derrière votre voiture...

FADINARD. — Ah ! bah !... Si j'avais su !... *(À part.)* J'avais mon
fouet...

ÉMILE, *durement.* — Si vous aviez su ?

FADINARD. — Je l'aurais prié de monter dedans... *(À part.)* Ah !
mais... il m'agace, l'Africain !

ANAÏS. — Émile, le temps se passe, abrégeons cette visite.

FADINARD. — Je suis tout à fait de l'avis de Madame... abrégeons...
(À part.) J'attends ma noce.

ÉMILE. — Monsieur, vous auriez grand besoin de quelques leçons
de savoir-vivre.

---

1. *Africain* : soldat de l'armée française d'Afrique.
2. *Ma noce* : les invités de mon mariage.
3. *Brosseur* : domestique d'un officier.

FADINARD, *offensé.* — Lieutenant! *(Émile se lève. Plus calme.)* J'ai fait
35   mes classes[1].

ÉMILE. — Vous nous avez quittés fort impoliment dans le bois de
    Vincennes.

FADINARD. — J'étais pressé.

ÉMILE. — Et vous avez laissé tomber par mégarde[2], sans doute...
40   cette petite pièce de monnaie...

FADINARD, *la prenant.* — Vingt sous!... tiens! c'était vingt sous!...
    Eh bien, je m'en doutais... *(Fouillant à sa poche.)* C'est une
    erreur... Je suis fâché que vous ayez pris la peine... *(Lui offrant
    une pièce d'or.)* Voilà!

45 ÉMILE, *sans la prendre.* — Qu'est-ce que c'est que ça?

FADINARD. — Vingt francs, pour le chapeau...

ÉMILE, *avec colère.* — Monsieur!...

ANAÏS, *se levant.* — Émile!

ÉMILE. — C'est juste! j'ai promis à Madame de rester calme...

50 FADINARD, *fouillant de nouveau à sa poche.* — J'ai cru que c'était le
    prix... Est-ce trois francs de plus?... Je ne suis pas à ça près.

ÉMILE. — Il ne s'agit pas de ça, Monsieur... Nous ne sommes pas
    venus ici pour réclamer de l'argent.

FADINARD, *très étonné.* — Non?... Eh bien... mais alors... quoi?

55 ÉMILE. — Des excuses, d'abord, Monsieur... des excuses à
    Madame.

FADINARD. — Des excuses, moi?...

ANAÏS. — C'est inutile, je vous dispense...

ÉMILE. — Du tout, Madame; je suis votre cavalier...

60 FADINARD. — Qu'à cela ne tienne, Madame... quoique, à vrai dire, ce
    ne soit pas moi personnellement qui ai mangé votre chapeau...
    Et encore, Madame... êtes-vous bien sûre que mon cheval n'était
    pas dans son droit, en grignotant cet article de modes?

ÉMILE. — Vous dites?...

---

1. *J'ai fait mes classes* : j'ai reçu une instruction militaire.
2. *Par mégarde* : sans le faire exprès.

■ La mise en scène d'*Un chapeau de paille d'Italie* par Jean-Baptiste Sastre au théâtre national de Chaillot (à Paris) use de décors somptueux, changeant à vue. Fadinard (Denis Podalydès, au centre), Anaïs (Noémie Develay-Ressiguier) et Émile (Gabriel Dufay) évoluent, tels des pantins déshumanisés, dans une pièce tout en mouvement.

65 FADINARD. — Écoutez donc !... Pourquoi Madame accroche-t-elle ses chapeaux dans les arbres ?... Un arbre n'est pas un champignon[1], peut-être !... Pourquoi se promène-t-elle dans les forêts avec des militaires ?... C'est très louche, ça, Madame...

ANAÏS. — Monsieur !...

70 ÉMILE, *avec colère.* — Que voulez-vous dire ?

ANAÏS. — Apprenez que M. Tavernier...

FADINARD. — Qui ça, Tavernier ?

ÉMILE, *brusquement.* — C'est moi, Monsieur !

ANAÏS. — Que M. Tavernier... est... mon cousin... Nous avons été
75 élevés ensemble...

FADINARD, *à part.* — Je connais ça... c'est son Bobin[2].

ANAÏS. — Et si j'ai consenti à accepter son bras... c'est pour causer de son avenir... de son avancement... pour lui faire de la morale...

80 FADINARD. — Sans chapeau ?...

ÉMILE, *soulevant une chaise et en frappant le parquet avec colère.* — Morbleu !...

ANAÏS. — Émile !... pas de bruit !...

ÉMILE. — Permettez, Madame...

85 FADINARD. — Ne cassez donc pas mes chaises !... *(À part.)* Je vais le flanquer du haut de l'escalier... Non... il pourrait tomber sur la tête de ma noce.

ÉMILE. — Abrégeons, Monsieur...

FADINARD. — J'allais le dire... vous m'avez pris mon mot, j'allais
90 le dire !

ÉMILE. — Voulez-vous, oui ou non, faire des excuses à Madame ?

FADINARD. — Comment donc !... très volontiers... je suis pressé... Madame... veuillez, je vous prie, agréer l'assurance de la considération la plus distinguée... avec laquelle... enfin...
95 j'infligerai une volée à Cocotte.

---

1. *Champignon* : saillie du portemanteau qui sert à accrocher les chapeaux.
2. *Bobin* : cousin de sa future femme, qui a la manie d'embrasser cette dernière sur les deux joues à la moindre occasion.

ÉMILE. – Ça ne suffit pas.

FADINARD. – Non ?... Je la mettrai aux galères à perpétuité.

ÉMILE, *frappant du poing sur une chaise.* – Monsieur !...

FADINARD. – Ne cassez donc pas mes chaises, vous !

100 ÉMILE. – Ce n'est pas tout !...

VOIX DE NONANCOURT, *dans la coulisse.* – Attendez-nous... nous redescendons...

ANAÏS, *effrayée.* – Ah ! mon Dieu !... quelqu'un !...

FADINARD, *à part.* – Fichtre ! le beau-père !... S'il trouve une
105 femme ici... tout est rompu !...

ANAÏS, *à part.* – Surprise chez un étranger !... que devenir ?... *(Apercevant le cabinet de droite.)* Ah !...

Elle y entre.

FADINARD, *courant à elle.* – Madame, permettez... *(Courant à Émile.)*
110 Monsieur...

ÉMILE, *entrant à gauche, premier plan.* – Renvoyez ces gens-là... nous reprendrons cet entretien.

FADINARD, *fermant la porte sur Émile et apercevant Nonancourt qui entre au fond.* – Il était temps !!!

Scène 6

FADINARD, NONANCOURT, HÉLÈNE, BOBIN

115 *Ils sont tous en costume de noce. Hélène porte la couronne et le bouquet de mariée.*

NONANCOURT. – Mon gendre, tout est rompu !... Vous vous conduisez comme un paltoquet[1]...

HÉLÈNE. – Mais, papa...

---

1. Paltoquet : grossier personnage.

120 NONANCOURT. – Silence, ma fille !

FADINARD. – Mais qu'est-ce que j'ai fait ?

NONANCOURT. – Toute la noce est en bas… Huit fiacres…

BOBIN. – Un coup d'œil[1] magnifique !

FADINARD. – Eh bien ?

125 NONANCOURT. – Vous deviez nous recevoir au bas de l'escalier…

BOBIN. – Pour nous embrasser.

NONANCOURT. – Faites des excuses à ma fille…

HÉLÈNE. – Mais, papa…

130 NONANCOURT. – Silence, ma fille !… *(À Fadinard.)* Allons, Monsieur, des excuses !

FADINARD, *à part.* – Il paraît que je n'en sortirai pas. *(Haut à Hélène.)* Mademoiselle, veuillez, je vous prie, agréer l'assurance de ma considération la plus distinguée…

135 NONANCOURT, *l'interrompant.* – Autre chose ! Pourquoi êtes-vous parti ce matin de Charentonneau sans nous dire adieu ?…

BOBIN. – Il n'a embrassé personne !

NONANCOURT. – Silence, Bobin ! *(À Fadinard.)* Répondez !

FADINARD. – Dame, vous dormiez !

140 BOBIN. – Pas vrai ! Je cirais mes bottes.

NONANCOURT. – C'est parce que nous sommes des gens de la campagne… des paysans !…

BOBIN, *pleurant.* – Des pipiniéristes[2] !

NONANCOURT. – Ça n'en vaut pas la peine !

145 FADINARD, *à part.* – Hein ? comme le porc-épic se développe !

NONANCOURT. – Vous méprisez déjà votre famille !

FADINARD. – Tenez, beau-père, purgez-vous[3]… je vous assure que ça vous fera du bien !

---

1. *Coup d'œil* : spectacle.
2. *Pipiniéristes* : déformation de «pépiniéristes», cultivateurs de jeunes plantes destinées ensuite à être repiquées.
3. *Purgez-vous* : libérez-vous de votre mauvaise humeur.

NONANCOURT. – Mais le mariage n'est pas encore fait, Monsieur…
150   On peut le rompre…

BOBIN. – Rompez, mon oncle, rompez !

NONANCOURT. – Je ne me laisserai pas marcher sur le pied !
    (Secouant son pied.) Cristi !

FADINARD. – Qu'est-ce que vous avez ?

155 NONANCOURT. – J'ai… des souliers vernis, ça me blesse, ça
    m'agace… ça me turlupine[1]… *(Secouant son pied.)* Cristi !

HÉLÈNE. – Ça se fera en marchant, papa.

Elle tourne les épaules.

FADINARD, *la regardant faire, et à part.* – Tiens !… qu'est-ce qu'elle
160   a donc ?

NONANCOURT. – A-t-on apporté un myrte[2] pour moi ?

FADINARD. – Un myrte !… pour quoi faire ?

NONANCOURT. – C'est un emblème, Monsieur…

FADINARD. – Ah !

165 NONANCOURT. – Vous riez de ça !… Vous vous moquez de nous…
    parce que nous sommes des gens de la campagne… des pay-
    sans !…

BOBIN, *pleurant.* – Des pipiniéristes !

FADINARD. – Allez, allez !

170 NONANCOURT. – Mais ça m'est égal… Je veux le placer moi-même
    dans la chambre à coucher de ma fille, afin qu'elle puisse se
    dire… *(Secouant son pied.)* Cristi !

HÉLÈNE, *à son père.* – Ah ! papa, que vous êtes bon !

Elle tourne les épaules.

175 FADINARD, *à part.* – Encore !… ah çà ! mais c'est un tic… je ne
    l'avais pas remarqué…

HÉLÈNE. – Papa ?

NONANCOURT. – Hein ?

HÉLÈNE. – J'ai une épingle dans le dos, ça me pique.

---

1. *Ça me turlupine* : ça me tracasse.
2. *Myrte* : petit arbre, symbole de l'amour.

180 FADINARD. – Je disais aussi…

BOBIN, *vivement, retroussant ses manches.* – Attendez, ma cousine…

FADINARD, *l'arrêtant.* – Monsieur, restez chez vous !

NONANCOURT. – Bah ! puisqu'ils ont été élevés ensemble…

185 BOBIN. – C'est ma cousine.

FADINARD. – Ça ne fait rien… on ne marche pas dans les plates-bandes !

NONANCOURT, *à sa fille, lui indiquant le cabinet où est Émile.* – Tiens, entre là !

190 FADINARD, *à part.* – Avec l'Africain… merci !… *(Lui barrant le passage.)* Non !… pas par là !…

NONANCOURT. – Pourquoi ?

FADINARD. – C'est plein de serruriers.

NONANCOURT, *à sa fille.* – Alors marche… secoue-toi… ça la fera
195 descendre. *(Secouant son pied.)* Cristi ! […]

Un chapeau de paille d'Italie, GF-Flammarion,
coll. «Étonnants Classiques», 2001.

■ Feydeau, *Feu la mère de Madame*, scène 1 (1910)

La première comédie de Georges Feydeau (1862-1921), *Par la fenêtre*, est jouée en 1882 alors qu'il n'a que dix-neuf ans ; quatre ans plus tard, *Tailleur pour dames* lui apporte la notoriété. En 1892, *Monsieur chasse* ouvre une ère de succès ininterrompue, qui compte notamment *Un fil à la patte*, *L'Hôtel du libre-échange* (1894), *On purge bébé* (1910) et *Feu la mère de Madame* (1908). Sa relation orageuse avec sa femme, qu'il a épousée en 1889, semble être la source de plusieurs de ses portraits de couples déchirés.

Dans *Feu la mère de Madame*, pièce en un acte, Yvonne est réveillée par son mari, qui revient du bal des Quat'Z'arts et qui a oublié ses clefs. Lucien, qui essaie d'abord d'éviter la dispute conjugale, peine à justifier son escapade. Au cours de cette scène d'exposition très dynamique, la querelle entre les deux époux s'envenime, chacun essayant de blesser l'autre : la femme attaque son mari sur ses prétentions artistiques, il se venge en dénigrant ses seins. L'allusion à la poitrine d'un modèle fait surgir un personnage type du vaudeville : la maîtresse. Pourtant, Lucien n'a été infidèle que par le regard et la pensée !

[…]

YVONNE, *revenant à la charge.* — Non ! penser qu'on n'est marié que depuis deux ans et que monsieur lâche déjà sa femme pour aller au bal des Quat'Z'arts[1] !

LUCIEN, *obsédé.* — Écoute, je t'en prie… je suis fatigué, tu me feras une scène demain.

5

YVONNE. — Oh !… je ne te fais pas de scène ! je constate.

LUCIEN, *descendant un peu en scène.* — Si tu ne comprends pas qu'un homme a besoin, pour ne pas s'encroûter, de tout voir, de tout connaître… pour former son esprit… !

10 YVONNE, *avec un profond dédain.* — Oh ! non… ! non ! écoutez moi ça ! T'es caissier aux Galeries Lafayette ; c'est ça qui peut te servir pour ta profession, de connaître le bal des Quat'Z'arts !

LUCIEN, *piqué.* — Je ne suis pas que caissier ! je suis peintre.

YVONNE, *haussant les épaules.* — T'es peintre ! tu barbouilles.

15 LUCIEN, *vexé.* — Je barbouille !

YVONNE. — Absolument ! Tant qu'on ne vend pas, on barbouille. Est-ce que tu vends ?

LUCIEN. — Non, je ne vends pas ! Évidemment, je ne vends pas ! La belle malice ! Je ne vends pas… parce qu'on ne m'achète

20 pas !… sans ça… !

YVONNE. — T'as jamais bien peint qu'une chose !

LUCIEN, *heureux de cette concession.* — Ah !

---

1. Bal des Quat'Z'arts : bal organisé chaque printemps entre 1892 et 1966 par les étudiants des Beaux-Arts de Paris.

YVONNE. — Ma baignoire… au Ripolin[1].

LUCIEN, *vexé, gagnant vers la cheminée.* — Oh ! c'est drôle ! Oh ! c'est
25 spirituel. Va, marche ! *(Revenant vers le lit.)* N'empêche que je
suis plus artiste que tu ne crois ! Aussi, comme artiste, est-il
tout naturel que j'aille chercher des sensations d'art.

YVONNE. — Allons ! allons ! dis que tu vas chercher des sensations,
un point, c'est tout ! Mais ne parle pas d'art !

30 LUCIEN, *renonçant à discuter.* — Ah ! tiens, tu me cours !

> *Il gagne jusqu'à la cheminée et se met en posture*
> *de retirer son jabot[2] devant la glace.*

YVONNE, *rejetant ses couvertures.* — Non… mais… *(Elle saute à bas*
du lit et, pieds nus, court à Lucien ; puis, après l'avoir fait pivoter face
35 *à elle.)* Non mais cite-m'en donc une, si je te cours ; cite-m'en
donc une, de tes sensations d'art !

LUCIEN. — Mais absolument.

YVONNE, *sur un ton coupant.* — C'est pas une réponse ! Cite-m'en
une !

40 *Elle redescend en scène.*

LUCIEN, *descendant à sa suite.* — Je n'ai que le choix… Tiens, par
exemple, quand on a fait l'entrée d'Amphitrite[3]. *(La toisant[4]*
et avec un sourire un peu dédaigneux.) Tu ne sais peut-être pas
seulement ce que c'est que l'Amphitrite ?

45 YVONNE. — Oh ! n'est-ce pas ? Je ne sais pas ce que c'est !… C'est
une maladie du ventre !

LUCIEN, *ahuri.* — Quoi ?

YVONNE. — Absolument !

---

1. *Ripolin* : marque de peinture de décoration.
2. *Jabot* : ornement de dentelle attaché à la base du col d'une chemise. Le
bal des Quat'Z'arts est un bal costumé et Lucien s'y est rendu déguisé en
Roi-Soleil.
3. *Amphitrite* : dans la mythologie grecque, déesse de la mer, épouse de
Poséidon.
4. *Toisant* : regardant de haut, avec un certain mépris.

LUCIEN, *pouffant.* — Une maladie du ventre ! C'est la déesse de la
mer.

YVONNE, *interloquée.* — Ah ?… *(Acariâtre.)* Eh ! quoi ! je confonds !…
je confonds avec l'entérite[1].

LUCIEN. — Ça ne se ressemble pas !

YVONNE. — Quoi ! on peut se tromper.

LUCIEN. — Oui, eh bien ! quand le cortège a fait son entrée, ça, ç'a
été une sensation d'art ! Un modèle admirable, complètement
nu, dans une coquille nacrée, portée par des tritons[2] et des
sirènes !

YVONNE, *pincée.* — Une femme toute nue !

LUCIEN. — Toute nue.

YVONNE. — C'est du propre !

LUCIEN, *très posément.* — Eh bien ! justement, c'est ce qui te trompe !
Il n'y avait rien d'inconvenant.

YVONNE. — Oui ? Eh bien ! je ferais ça, moi ! !…

> *Tout en parlant elle gagne l'avant-scène
> droite et grimpe dans son lit.*

LUCIEN, *levant les bras au ciel.* — Ah ! parbleu, évidemment, toi… !
c'est bête ce que tu dis.

YVONNE, *dans son lit et sur son séant.* — Enfin, quoi, une chose est
inconvenante ou elle ne l'est pas.

LUCIEN. — Elle ne l'est pas quand c'est des modèles !… Et celui-là :
une ligne !… et des seins, ah !… comme je n'en ai jamais vu !

> *Il va à la cheminée.*

YVONNE, *faisant une révérence de la tête, puis sur un ton pincé.* — Je te
remercie.

LUCIEN, *se retournant, interloqué.* — Quoi ?

YVONNE. — T'es encore poli !

---

1. Entérite : inflammation de l'intestin.
2. Tritons : dans la mythologie grecque, divinités à figure humaine et queue
de poisson.

LUCIEN, *lève les yeux au ciel, puis.* — Allons, bon! tu vas encore te formaliser[1]. Je ne dis pas ça pour toi! Évidemment les tiens sont très jolis! mais enfin... ce ne sont tout de même pas des seins de modèle.

> *Il retourne à la cheminée pour défaire son jabot.*

YVONNE. — Ah! vraiment?... *(Rejetant ses couvertures et sautant à bas du lit pour foncer sur Lucien. Pendant le trajet, tout en dénouant précipitamment les rubans de sa chemise.)* Et... et... *(arrivée à Lucien, le faisant pivoter face à elle)* et qu'est-ce que tu leur reproches?

> *Dos au public, et face à Lucien, elle s'est campée devant lui, le devant de sa chemise ouvert et tenu écarté des deux mains.*

LUCIEN, *absolument ahuri par cette ruée inattendue.* — Hein? Mais, je ne sais pas... Eh bien! tiens, par exemple, là...

> *Il indique avec ses doigts une place de la poitrine d'Yvonne.*

YVONNE, *lui appliquant une tape sur la main et bondissant en arrière.* — Assez! Je te défends d'y toucher!... Va donc toucher ceux de la dame, puisqu'ils sont mieux que les miens!

LUCIEN. — Oh! que tu es bête!

YVONNE, *revenant à la charge.* — Allez! allez, dis! qu'est-ce que tu leur reproches?

LUCIEN, *serré entre le chambranle droit de la porte de gauche et Yvonne littéralement collée contre lui.* — Oh! peu de choses!... Même en dessous ils sont très bien! là, tu vois, je suis juste. Mais au-dessus, dam! ça creuse un peu; ça...

YVONNE, *indignée.* — Ça creuse!

LUCIEN, *avec un geste de la main faisant image.* — Alors ça les fait légèrement en portemanteau. [...]

> *Feu la mère de Madame*, Librairie théâtrale, 1977.

---

1. **Formaliser** : vexer.

■ Guitry, *Un type dans le genre de Napoléon* (1911)

Sacha Guitry (1885-1957) fait ses premiers pas au théâtre comme comédien, sous le nom de Jacques Lorcey. Mais c'est comme dramaturge qu'il se fait connaître, dès l'âge de vingt ans. Ses œuvres aiment à peindre les rapports hommes-femmes sur un ton satirique, qui manie l'art de la formule et les mots d'esprit.

Un type dans le genre de Napoléon, courte pièce en un acte, ne compte que deux personnages : un monsieur et une dame séparés depuis deux ans. L'homme vient interroger son ancienne maîtresse au sujet d'un de ses amants, dont il est jaloux car c'est le seul qu'elle ne lui ait jamais avoué. La confrontation conduit le couple à se souvenir de la cause de leur rupture. Sujet grave, la lassitude au sein du couple est abordée sur un ton très léger, qui mêle le comique de situation (les motifs de dispute apparaissent dérisoires au regard de leur conséquence finale : la séparation) et le comique de mots (la politesse est privée de contenu).

[...]

LE MONSIEUR. – Je vous prie de vous asseoir et de bien vouloir m'écouter !... Je suis venu troubler votre tranquillité aujourd'hui, afin seulement de reconquérir ma tranquillité à moi !... Vous connaissez mon caractère, vous savez que je suis – toutes pro-
5   portions gardées – un type dans le genre de Napoléon...

LA DAME. – Vous avez un petit chapeau ?

LE MONSIEUR. – Non, mais j'ai horreur du mensonge ! Tout ce qui n'est pas net, précis et clair m'est odieux !... Nous avons passé trois ans l'un avec l'autre... Je dirai plus, l'un contre l'autre...
10   Nous avons partagé nos soucis et nos joies et nous avons été parfois extrêmement heureux... Est-ce vrai ?

LA DAME. – Oui, très heureux... parfois !

LE MONSIEUR. – Nous n'avions sans doute réciproquement en nous-mêmes que pour deux ans et demi d'amour car, vous en
15   souvenez-vous... Un soir d'avril à propos d'un chapeau qui vous allait très mal...

LA DAME. – Non, qui m'allait très bien !

LE MONSIEUR. – Je vous répète encore une fois qu'il vous allait fort mal !

20 LA DAME. – Je vous répète encore une fois qu'il m'allait fort bien !

LE MONSIEUR. – Oh ! Nous n'allons pas recommencer, n'est-ce pas, sur ce fameux chapitre ?

LA DAME. – C'est vous qui recommencez !

25 LE MONSIEUR. – D'ailleurs, qu'importe qu'il vous allât mal ou bien, c'est au sujet de ce vilain chapeau que nous avons eu notre première discussion… et ce soir-là, en rentrant du théâtre, vous vous êtes endormie sans m'embrasser !

LA DAME. – Vous aussi !

30 LE MONSIEUR. – Je n'ai pas osé vous réveiller !

LA DAME. – Je vous en remercie !

LE MONSIEUR. – Mais tout s'est arrangé !… « Le lendemain, vous étiez souriante ! » Nous avons fait la paix, vous avez fait modifier le chapeau…

35 LA DAME. – Oh ! Non, mais vous l'avez toujours cru !

LE MONSIEUR. – Enfin, tout s'est arrangé !… Mais le surlendemain, au sujet de je ne sais plus quoi, nouvelle discussion, puis trois jours après et ainsi de suite… Il y avait quelque chose de décroché !… Tout ce qui n'aurait dû être entre nous

40 que des sujets de conversation devenait, grâce à vous…

LA DAME. – Naturellement…

LE MONSIEUR. – … devenait, grâce à vous naturellement, des sujets de discussion… puis de disputes…

LA DAME. – Vous étiez mécontent de tout !

45 LE MONSIEUR. – Vous n'étiez satisfaite de rien !

LA DAME. – Petit à petit… tout ce qui vous avait plu en moi… tout ce qui vous avait amusé… mes petites façons d'être, de parler, de chanter dans l'intimité… tout cela vous était devenu odieux !

LE MONSIEUR. – Je puis vous faire le même reproche…

50 LA DAME. – Bien entendu !

LE MONSIEUR. – Mais… disons simplement que l'existence nous
    était devenue insupportable à l'un presque autant qu'à l'autre !
    Notre union était sur le pied de guerre, nous nous disions des
    choses inutiles et méchantes et chaque discussion nous éloi-
55 gnait davantage l'un de l'autre !… Dix fois nous avons essayé
    de nous reprendre… Tous les moyens nous étaient bons, nous
    avons eu recours aux trucs les moins originaux… Vous avez
    voulu me rendre jaloux… J'ai voulu vous rendre jalouse !…
    J'ai voulu vous faire croire que j'étais l'amant d'une petite
60 actrice… Vous ne l'avez pas cru, alors j'ai couché avec elle !…
    Vous vous êtes fait faire la cour par un ami à moi… Je vous ai
    imprudemment défiée[1]… et vous êtes devenue sa maîtresse…
    Là, ça a été terrible ! Nous avons passé toute une journée, et
    toute une nuit à nous disputer. Nous avons épuisé le vocabu-
65 laire ordurier des gens distingués qui s'engueulent… Enfin,
    vous m'avez avoué votre faute et je vous l'ai pardonnée !…
    Mais trois semaines plus tard, vous avez recommencé… et, à
    chaque infidélité nouvelle, nous avons eu une explication vio-
    lente et franche… et enfin, lorsque nous nous sommes sépa-
70 rés, il y a dix-huit mois, j'ai emporté avec moi la certitude que
    nous nous étions toujours largement expliqués !

LA DAME. – Parfaitement !

LE MONSIEUR. – Bon !

LA DAME. – Mais enfin, voulez-vous me dire à quoi vous voulez
75 en venir ?

LE MONSIEUR. – Je veux en venir à ceci. Vous souvenez-vous du
    fauteuil garni de velours rouge que je plaçais toujours adossé
    au piano ?

LA DAME. – Oui, il me semble…

80 LE MONSIEUR. – Bon. Le velours de ce fauteuil – par vous choisi
    entre cent autres – le velours de ce fauteuil était de mauvaise
    qualité !

---

1. Défiée : mise au défi.

LA DAME. — C'est bien possible, mais je ne vois pas…

LE MONSIEUR. — Attendez, vous allez voir !… Il y a huit jours, j'ai
fait remplacer ce velours rouge par un velours jaune…

LA DAME. — Ah ?

LE MONSIEUR. — Je veux être le premier à en rire[1] ! Oui, par un
velours jaune du plus ravissant effet. Le tapissier, en me rap-
portant ce soir le fauteuil, m'a remis un petit paquet de lettres,
qu'il avait trouvé dans la doublure du…

LA DAME. — Ah…

LE MONSIEUR. — Je vois que vos souvenirs se précisent !… J'ai
dénoué la faveur[2] si j'ose dire !… qui les réunissait… je les ai
lues, ces lettres… et les voici !… *(Il sort de sa poche le petit paquet
de lettres en question.)* La teneur de ces missives ne peut laisser
subsister aucun doute dans mon esprit… Georges Bernier a
été votre amant !

LA DAME. — Mon ami, moi, je suis un type dans le genre de
Joséphine[3]… je ne chercherai jamais à nier l'évidence :
Georges Bernier a été mon amant ! […]

Un type dans le genre de Napoléon,
Avant-Scène théâtre, 2007.
Avec l'autorisation de Jacqueline Aubart,
ayant droit de Sacha Guitry.

---

1. Le jaune est la couleur des maris trompés.
2. **Faveur** : le mot désigne à la fois un ruban permettant de ranger ensemble
des lettres et une marque d'amour qu'une femme donne à un homme ; le
personnage joue sur ces différents sens.
3. **Joséphine** : Joséphine de Beauharnais, épouse de l'empereur Napoléon Ier.

Un théâtre naturaliste

Alors que le héros romantique cherchait à fuir la réalité, les personnages des pièces réalistes (fin du XIXe-début du XXe siècle) savent qu'ils ne peuvent échapper à la routine dans laquelle ils sont englués. Les bourgeois mis en scène voient leur existence apparemment sans histoire, polie par des années de mensonges, voler tout à coup en éclats sous l'effet d'une résurgence du passé. Caractérisés par leur lâcheté et leur faiblesse plutôt que par leur aspiration à un idéal, ils ne cherchent pas à renverser une situation insatisfaisante, mais à s'en accommoder. Cette appréhension du monde appelle une dramaturgie nouvelle, qui ancre les pièces dans la réalité. Les longues tirades lyriques et enflammées laissent place au dialogue. Les didascalies deviennent très nombreuses, l'esthétique scénique naturaliste exigeant des détails précis et des décors réalistes.

■ Ibsen, *Une maison de poupée*, acte III (1879)

Le Norvégien Henrik Ibsen (1828-1906) connaît des débuts littéraires difficiles : ses premières pièces ne sont jouées que devant un public restreint et éditées à compte d'auteur. En 1864, ayant obtenu une bourse de voyage, il part pour Rome. C'est le début d'un long périple : pendant vingt-sept ans, il séjourne en Italie, en Allemagne et en Autriche, où il écrira ses œuvres les plus célèbres, avant de revenir en Norvège en 1891 et d'y recevoir un accueil triomphal. Le succès international d'*Une maison de poupée* (1879), qui répond aux questions des féministes de l'époque sur la place de la femme dans la société moderne, le propulse au premier rang des auteurs de théâtre européens.

Dans cette pièce, le mari de Nora défend deux valeurs : l'honnêteté et l'épargne. Or, sa femme cache un secret : pour le sauver, alors qu'il était gravement malade, elle a contracté une dette en imitant le nom de son père sur une facture, qu'elle rembourse progressivement. Helmer découvre la vérité une veille de Noël et réagit avec horreur et dégoût. Comprenant que son mari n'est pas la personne noble qu'elle croyait, Nora décide de le quitter. Le dialogue du dénouement hésite entre réalisme et exemplarité. Il engage à réfléchir sur le statut de la femme et sur l'égalité dans le couple : Nora veut être aimée comme un être humain, et non comme une poupée.

[...]

NORA, *après un court silence.* — Est-ce qu'il n'y a pas une chose qui te frappe, assis comme nous le sommes, ici, l'un en face de l'autre ?

HELMER. — Que veux-tu dire ?

5 NORA. — Il y a maintenant huit ans que nous sommes mariés. Est-ce qu'il ne te vient pas à l'idée que c'est la première fois que nous deux, toi et moi, mari et femme, nous parlons sérieusement ensemble ?

HELMER. — Sérieusement, oui... qu'est-ce que cela veut dire ?

10 NORA. — Pendant huit longues années... et même davantage... depuis le premier jour où nous avons fait connaissance, nous n'avons jamais échangé un propos sérieux sur un sujet sérieux.

HELMER. — Aurais-je donc dû constamment t'initier à des soucis que tu n'aurais même pas pu m'aider à porter ?

15 NORA. — Je ne parle pas de soucis. Je te dis que nous ne nous sommes jamais trouvés sérieusement ensemble pour chercher à aller au fond de quoi que ce soit.

HELMER. — Mais, bien chère Nora, est-ce que ç'aurait été une occupation pour toi ?

© Marc Enguerand

■ Dans sa mise en scène d'*Une maison de poupée* au festival d'Avignon en 1994, Thomas Ostermeier transpose l'action de la pièce dans un loft au design contemporain, au cœur des nouveaux quartiers de Berlin. Les personnages, Helmer (Jorg Hartmann) et Nora (Anne Tismer), affichent un bonheur digne de plaquettes publicitaires : lui en banquier épanoui veillant sur son épouse, elle en jeune femme moderne à la plastique parfaite. En situant le drame à l'époque actuelle, Thomas Ostermeier laisse entendre que l'émancipation de la femme n'est pas chose acquise au xxie siècle. Nora apparaît écrasée par la lourdeur de son environnement matériel (que représentent les meubles encombrants et l'aquarium immense derrière les fauteuils) et social.

20 NORA. – Nous y voici. Tu ne m'as jamais comprise… On m'a fait grand tort, Torvald[1]. D'abord papa, puis toi.

HELMER. – Quoi ! Nous deux… nous deux, qui t'avons le plus aimée ?

NORA, *secouant la tête.* – Vous ne m'avez jamais aimée. Il vous a
25 paru agréable d'être en adoration devant moi, voilà tout.

HELMER. – Mais, Nora, qu'est-ce que c'est que ces propos ?

NORA. – Oui, c'est ainsi, Torvald. Quand j'étais chez papa, il faisait part de toutes ses opinions, et donc je les partageais. Et si j'en avais d'autres, je les cachais parce que ça ne lui aurait
30 pas plu. Il m'appelait sa petite poupée et il jouait avec moi comme je jouais avec mes poupées. Puis je suis venue dans ta maison.

HELMER. – Tu as de curieuses expressions pour parler de notre mariage.

35 NORA, *imperturbable.* – Je veux dire que je suis passée des mains de papa dans les tiennes. Tu as tout arrangé à ton goût, et donc j'ai eu le même goût que toi ; ou bien j'ai fait semblant ; je ne sais pas au juste… je crois que c'était l'un et l'autre ; tantôt l'un, tantôt l'autre. Quand je considère cela maintenant, il
40 me semble que j'ai vécu ici comme un pauvre être… au jour le jour uniquement. J'ai vécu des pirouettes que je faisais, Torvald. Mais c'était ce que tu voulais, n'est-ce pas ? Toi et papa, vous avez commis un gros péché contre moi. Si je suis une bonne à rien, c'est vous qui en êtes coupables.

45 HELMER. – Nora, tu es absurde et ingrate ! N'as-tu pas été heureuse, ici ?

NORA. – Non, je ne l'ai jamais été. Je l'ai cru. Mais je ne l'ai jamais été.

---

1. *Torvald* : prénom du mari de Nora. On note que le mari est désigné dans les didascalies par son nom de famille, signe de son rôle social, tandis que la femme est désignée par son prénom, signe qu'elle n'a de rôle à jouer que dans l'intimité.

HELMER. – Tu n'as pas été heureuse !

50 NORA. – Non. J'ai été joyeuse, voilà tout. Et tu as toujours été si gentil pour moi. Notre foyer n'a jamais été rien d'autre qu'une salle de récréation. Ici, j'ai été ton épouse-poupée, tout comme à la maison j'étais l'enfant-poupée de papa. Et mes enfants, à leur tour, ont été mes poupées. Je trouvais divertissant que tu

55 te mettes à jouer avec moi, tout comme ils trouvent divertissant que je me mette à jouer avec eux. Voilà ce qu'a été notre mariage, Torvald.

HELMER. – Il y a quelque chose de vrai dans ce que tu dis… tout exagéré et outré que ce soit. Mais dorénavant, cela changera.

60 Le temps de la récréation est passé, voici maintenant le temps de l'éducation.

NORA. – L'éducation de qui ? La mienne ou celle des enfants ?

HELMER. – L'une et l'autre, ma Nora bien-aimée.

NORA. – Hélas ! Torvald, tu n'es pas homme à m'élever pour faire

65 de moi l'épouse qu'il te faut.

HELMER. – Et c'est toi qui dis cela ?

NORA. – Et moi… comment suis-je préparée à élever des enfants ?

HELMER. – Nora !

70 NORA. – Ne l'as-tu pas dit toi-même il y a un moment… cette mission, tu n'oses pas me la confier.

HELMER. – C'était dans un instant d'irritation. Faut-il que tu en tiennes compte maintenant ?

NORA. – Si, c'était fort bien dit de ta part. C'est une tâche au-

75 dessus de mes forces. Il y en a une autre qu'il faut accomplir d'abord. Il faut que je veille à m'éduquer moi-même. Et cela, tu n'es pas homme à m'y aider. Il faut que je sois seule pour le faire. Et voilà pourquoi, maintenant, je vais te quitter. […]

Une maison de poupée, trad. Régis Boyer,
GF-Flammarion, 1994.

■ Tchekhov, *Platonov*, acte III, scène 8 (1880)

Né en Crimée (presqu'île d'Ukraine), issu d'une famille modeste, Anton Tchekhov (1860-1904), étudie la médecine à l'université. Mais il est plus intéressé par la littérature et, avant même de commencer à exercer en 1884, il publie des contes humoristiques dans des revues et compose sa première pièce de théâtre, *Platonov*, en 1880. Il s'affirme ensuite comme romancier et comme dramaturge – *Ivanov* (1887), *Oncle Vania* (1899), *Les Trois Sœurs* (1900), *La Cerisaie* (1904). Le héros éponyme de *Platonov* est un instituteur de campagne que le désir de reconnaissance, l'ennui et le manque de volonté poussent dans les bras de femmes différentes : parmi elles, Sacha – la jeune personne vertueuse qu'il a épousée –, Sofia – son amour de jeunesse, souvenir de ses ambitions perdues – et la générale – qui lui rappelle que sa famille a été riche et puissante. Dans la scène 8 de l'acte III, Sacha, qui a trouvé refuge chez son père, apporte à Platonov des nouvelles de leur fils Nicolaï : elle souhaite restaurer le dialogue avec son mari, et peut-être lui pardonner sa liaison avec la générale.

Platonov, dont les aspirations ont été étouffées par les contraintes du quotidien, n'est pas un héros romantique : sa révolte contre la société ne le conduit pas à l'action, à une lutte pour atteindre un idéal inaccessible, mais à la démission, à l'acceptation lâche et douloureuse de ce que les autres veulent de lui. Le dialogue traduit le conflit entre deux tempéraments : face à Sacha, modèle de droiture, qui peut excuser une tromperie mais pas une trahison, se dresse Platonov, dont l'anticonformisme est synonyme de faiblesse.

[...]

SACHA. – Notre Kolia[1] est tombé malade.

PLATONOV. – Qu'est-ce qu'il a ?

SACHA. – Il tousse beaucoup, il a de la fièvre, des boutons…

---

1. *Kolia* : diminutif de Nicolaï, fils de Sacha et de Platonov.

Deux nuits, déjà, qu'il pleure et qu'il reste sans dormir… Il ne
mange pas, il ne boit pas… *(Elle pleure.)* Micha[1], il est très, très
malade ! J'ai peur pour lui ! Oh ! comme j'ai peur ! Et puis, j'ai
fait un mauvais rêve…

PLATONOV. – Et ton frère, où est-il ? Il est médecin, non ?

SACHA. – Mon frère ? Tu crois que ça peut le toucher ? Il est passé
juste une minute, il y a quatre jours, il n'a rien fait et il est
reparti. Je lui parle de la maladie de Kolia et, lui, il se pince et
il bâille… Il m'a traitée d'idiote…

PLATONOV. – Celui-là aussi, il se pose là ! C'est pour lui-même
qu'il finira par bayer aux corneilles ! Il se quittera lui-même
quand il sera malade !

SACHA. – Que faire ?

PLATONOV. – Espérer… Tu vis chez ton père, maintenant ?

SACHA. – Oui.

PLATONOV. – Et lui, quoi ?

SACHA. – Rien. Il se promène dans sa chambre, il fume sa pipe et
il a toujours l'intention de passer te voir. Je suis arrivée chez
lui toute retournée, et il a deviné que je… enfin, que nous…
Que faire avec Kolia ?

PLATONOV. – Ne t'inquiète pas, Sacha !

SACHA. – Comment veux-tu que je ne m'inquiète pas ? S'il meurt,
Dieu nous l'épargne, qu'allons-nous devenir ?

PLATONOV. – Oui… Mais Dieu ne nous prendra pas notre petit
garçon… Pourquoi te punirait-il ? Parce que tu t'es mariée à
un vaurien ? *(Pause.)* Sacha, veille bien sur notre petit bon-
homme ! Veille sur lui pour moi et je te jure sur tous les saints
que j'en ferai un homme ! Je lui montrerai le chemin, je lui
apprendrai comment racheter ma vie pécheresse et la vie de
mes pères ! Je lui consacrerai mes jours et nuits… Chacun de
ses gestes fera ton bonheur ! Il ira loin, Nikolaï, fils de Mikhaïl
Platonov ! Mais, le pauvre, lui aussi, c'est un Platonov ! Il

---

1. *Micha* : diminutif par lequel Sacha s'adresse à son mari, Mikhaïl Platonov.

suffirait qu'il change de nom… En tant qu'homme, je suis faible et mesquin ; en tant que père, je serai grand ! Ne crains rien pour son avenir ! Oh, mon bras ! *(Il gémit.)* J'ai mal au bras… Il m'a bien arrangé, ce bandit[1]… Qu'est-ce que j'ai ? *(Il*
40 *examine son bras.)* C'est tout rouge… Oh, tant pis ! Oui, Sacha. Tu seras heureuse avec ton fils ! Tu ris… J'ai flatté ton amour-propre de mère… Ris, mon trésor ! Et maintenant, tu pleures ? Pourquoi est-ce que tu pleures ?… Euh… ne pleure pas, Sacha ! *(Il lui embrasse les cheveux.)* Tu es venue… Mais pourquoi es-tu
45 partie ? Ne pleure pas, mon petit ange ! Pourquoi toutes ces larmes ? Je t'aime, ma petite fille, tu vois bien ! Je t'aime très fort ! Oui, je suis très coupable, mais, que veux-tu ?… Il faut me pardonner… Eh bien, eh bien…

SACHA. – Elle est finie, l'intrigue ?

50 PLATONOV. – L'intrigue ? Qu'est-ce que c'est que ce mot-là, ma petite-bourgeoise ?

SACHA. – Elle n'est pas finie ?

PLATONOV. – Comment te dire ? Il n'y en a pas, d'intrigue, il n'y a qu'une sorte de monstrueux galimatias[2]… Ne t'inquiète
55 pas trop pour ce galimatias ! Si ce n'est pas fini, ça finira… bientôt !

SACHA. – Quand ?

PLATONOV. – Bientôt, sans doute ! Bientôt nous revivrons comme avant, Sacha ! Qu'elles aillent au diable, toutes les
60 nouveautés ! Je n'en peux plus, je n'ai plus de force… Ne crois pas que ce lien soit solide, je ne le crois pas moi-même ! Un rien peut le défaire… Elle sera la première à s'en rendre compte, à y repenser, à ce lien, avec un rire amer. Sofia n'est pas une femme pour moi. Elle vit de ce qui m'a fait vivre il
65 y a des siècles[3] ; elle s'attendrit sur ce que, moi, je ne peux

---

1. Au cours de la scène précédente, Platonov s'est battu avec Ossip, bandit à la solde de riches commerçants des environs.
2. *Galimatias* : discours embrouillé.
3. Sofia a connu Platonov quand ils faisaient leurs études.

plus considérer sans rire… Non, elle n'est pas pour moi… *(Pause.)* Tu peux me croire ! Sofia n'a plus longtemps à être ta rivale… Sacha, qu'est-ce que tu as ? *(Sacha se lève et chancelle. Il se relève.)* Sacha !

70 SACHA. — Tu… tu es avec Sofia, pas avec la générale ?

PLATONOV. — C'est maintenant que tu l'apprends ?

SACHA. — Avec Sofia ?… Quelle bassesse… quelle ignominie…

PLATONOV. — Qu'est-ce que tu as ? Tu es blême, tu chancelles… *(Il gémit.)* Au moins, ne me torture pas, Sacha… J'ai mal au bras,

75 et, toi, tu viens… Est-ce que vraiment… c'est une nouvelle ? La première fois que tu l'entends ? Mais pourquoi es-tu donc partie ? C'était bien à cause de Sofia ?

SACHA. — Avec la générale, encore, ça pouvait passer, mais une femme mariée ? ! Quelle bassesse, quel péché… Je ne te croyais

80 pas capable d'une telle ignominie ! Tu es un être immonde, Dieu te punira ! *(Elle se dirige vers la porte.)*

PLATONOV, *après une pause.* — De l'indignation ? Mais où vas-tu ?

SACHA, *s'arrêtant sur le seuil.* — Tous mes vœux de bonheur…

PLATONOV. — À qui ?

85 SACHA. — À vous et à Sofia Iégorovna.

PLATONOV. — Tu as trop lu de romans imbéciles, Sacha ! Tu peux encore me dire «tu» ; nous avons un enfant… et, quand même, je suis ton mari. Et puis, qu'est-ce que j'en ai à faire, du bonheur ? Reste, Sacha ! Tu pars… Et pour toujours, je

90 suppose ?

SACHA. — Je n'en peux plus ! Oh, mon Dieu, mon Dieu…

PLATONOV. — Tu n'en peux plus ?

SACHA. — Mon Dieu… Est-ce que c'est vraiment vrai ? *(Elle se prend la tête à deux mains et s'assied.)* Je… je ne sais plus que faire…

95 PLATONOV. — Tu ne peux pas ?… *(Il vient vers elle.)* C'est comme tu veux… Mais, si tu restais !… Pourquoi tu pleures, ma petite gourde ? *(Pause.)* Sacha, Sacha… Ma faute est infinie, mais, tu ne peux vraiment pas me pardonner ?

SACHA. — Et, toi-même, tu t'es pardonné ?

100 PLATONOV. – Question métaphysique ! *(Il lui embrasse la tête.)* Si tu
     restais… Je te dis que je regrette ! Sans toi, c'est la vodka, la
     saleté, Ossip[1]… Je n'en peux plus ! Reste comme infirmière,
     si tu ne veux plus être ma femme ! Vous êtes drôles, vous, les
     femmes ! Tu es drôle, Sacha ! Tu nourris cette crapule d'Ossip,
105 tu accables de tes bienfaits tous les chiens et les chats du pays,
     tu lis des prières jusqu'à la nuit tombée pour je ne sais quels
     ennemis que tu serais supposée avoir, qu'est-ce que ça te coûte
     de jeter un quignon de pain à ton mari coupable et repentant ?
     Pourquoi serais-tu mon bourreau, toi aussi ? Reste, Sacha ! *(Il
110 la prend dans ses bras.)* Je ne peux pas, sans nounou ! Je suis
     une crapule, j'ai pris la femme d'un ami, je suis l'amant de
     Sofia, peut-être même suis-je l'amant de la générale, je suis
     polygame, je suis un grand scélérat du point de vue familial…
     Indigne-toi, éclate ! Mais qui t'aimera comme je t'aime ? Qui
115 te placera aussi haut que moi, ma petite bonne femme ? Pour
     qui prépareras-tu le dîner en salant trop la soupe ? Tu as tou-
     tes les raisons de partir… C'est la justice qui l'exige, mais…
     (Il la soulève entre ses bras.) Qui te portera comme ça ? Est-ce
     qu'on peut t'imaginer sans moi, mon trésor ?

120 SACHA. – Je n'en peux plus ! Laisse-moi ! Je suis perdue ! Toi,
     tu plaisantes, et, moi, je suis perdue ! *(Elle s'arrache à lui.)* Tu
     sais bien que je ne ris pas ! Adieu ! Je ne peux plus vivre avec
     toi ! Maintenant, tout le monde te prendra pour une ordure !
     Comment veux-tu que je vive ? *(Elle sanglote.)* […]

Platonov, trad. F. Morvan et A. Markowicz,
© Les Solitaires intempestifs, 2004.

---

1. Voir note 1, p. 132.

Le théâtre épique

L'influence de la sociologie et du marxisme

Rejetant l'art dramatique traditionnel, Bertolt Brecht définit les principes d'une dramaturgie originale : le théâtre épique. Intimement lié aux luttes sociales qui suivent la Première Guerre mondiale, celui-ci vise à ouvrir les yeux du public sur le monde qui l'entoure et sur ses contradictions.

La distanciation

Pour Brecht, la « distanciation » est la condition indispensable pour que le théâtre parvienne à remplir son rôle social. Le spectateur ne doit pas être « fasciné » par ce qui se joue sur la scène, comme il l'était dans le théâtre dramatique – dans lequel l'action (*drama*, en grec) reposait sur des conflits entre les personnages, que le dénouement venait résoudre en restaurant l'ordre ou en produisant un apaisement final –, car cette fascination annule la réflexion et fait taire la raison au profit des sentiments. Le théâtre épique refuse le « camouflage des contradictions et la simulation de l'harmonie » : au contraire, il met en avant les incohérences du monde et de l'homme, dans des scènes-tableaux qui peuvent être appréhendées séparément. Afin de maintenir le spectateur dans son rôle d'observateur lucide, le théâtre épique fait tomber le « quatrième mur » qui caractérisait le théâtre dramatique : les personnages s'adressent directement au public, en particulier sous la forme de chansons (« songs ») ; en outre, les décors sont suggérés, les sources de lumière exposées au public et des panneaux servent à commenter les scènes, à la manière des sous-titres dans le cinéma muet. Les acteurs montrent des personnages plutôt qu'ils ne les incarnent. La scène ne doit plus donner l'illusion d'une représentation du monde ; elle doit être « un lieu d'exposition favorablement agencé ».

Aujourd'hui encore, le théâtre épique constitue une source d'inspiration pour beaucoup de metteurs en scène contemporains, notamment Ariane Mnouchkine.

■ Brecht, *Baal* (1918)

Bertolt Brecht naît à Augsbourg, en Bavière, en 1898. Mobilisé comme aide-soignant à la fin de la Première Guerre mondiale, en 1918, il est durablement marqué par les horreurs de la guerre. La même année il écrit *Baal*. C'est *L'Opéra de Quat'sous*, sur une musique de Kurt Weill, qui lui apporte la reconnaissance du public en 1928. En 1933, le dramaturge, qui défend des idées marxistes, est contraint de quitter l'Allemagne, menacé par la montée du nazisme. Il parcourt l'Europe puis finit par se réfugier en Californie en 1941. Il y compose nombre de ses pièces, dont la trame repose sur les conflits de classe. En 1947, inquiété par le maccarthysme, qui traque les agents, militants et sympathisants communistes, il quitte les États-Unis. Il s'installe dans la capitale allemande en 1949 et fonde à Berlin-Est le Berliner Ensemble. Il meurt en 1956.

Baal est la première pièce de l'auteur, qui l'a sans cesse remaniée jusqu'en 1955. Elle met en scène Baal, « poète lyrique », dont le nom désigne un seigneur respectable dans l'Ancien Testament. Au contraire de son ancêtre biblique, le personnage choque le spectateur par son appétit du monde et des femmes.

Nuit de mai sous des arbres.

BAAL, *paresseux.* − Maintenant, la pluie a cessé. L'herbe doit être
encore mouillée… L'eau ne passait pas à travers nos feuilles….
Le jeune feuillage ruisselle, mais ici, au milieu des racines,
5   c'est sec. Mauvais. Pourquoi ne peut-on faire l'amour avec les
plantes ?

SOPHIE. − Écoute !

BAAL. − Le mugissement sauvage du vent dans le feuillage mouillé,
noir ! Tu entends la pluie tomber goutte à goutte à travers les
10   feuilles ?

SOPHIE. − Je sens une goutte sur mon cou… Oh toi, laisse-moi !

BAAL. − L'amour, comme un tourbillon, vous arrache les vête-
ments du corps et vous enterre nu avec des cadavres de
feuilles, après qu'on a entrevu le ciel.

15 SOPHIE. − Je voudrais me cacher en toi, parce que je suis nue,
Baal.

BAAL. − Je suis ivre, et tu titubes. Le ciel est noir et nous nous
balançons sur l'escarpolette[1], avec de l'amour dans le corps,
et le ciel est noir. Je t'aime.

20 SOPHIE. − Oh, Baal ! Ma mère, qui pleure maintenant sur mon
cadavre, croit que je me suis jetée à l'eau. Maintenant cela fait
peut-être trois semaines.

BAAL. − Maintenant, cela fait trois semaines, dit la bien-aimée
parmi les racines des arbres, alors que cela faisait trente ans.
25   Et déjà elle était à moitié décomposée.

SOPHIE. − C'est bien d'être couchée ainsi, comme une proie, et le
ciel est sur vous, et on n'est plus jamais seul.

BAAL. − Maintenant, de nouveau je vais t'enlever ta chemise.

Baal, trad. Guillevic, © L'Arche, 1988.

---

1. *Escarpolette* : balançoire.

Le théâtre de l'absurde

Une nouvelle esthétique au lendemain de la Seconde Guerre mondiale

La Seconde Guerre mondiale a fait s'effondrer le fondement de la pensée humaniste, qui voyait dans l'instruction du plus grand nombre la fin des préjugés, de l'intolérance, du fanatisme. Les valeurs morales élaborées et transmises depuis des siècles n'ont pu empêcher que la folie meurtrière s'empare du monde entier. Dès lors, dans l'immédiat après-guerre et en réaction contre le conformisme bourgeois, l'absurde s'impose comme valeur dans la littérature et la pensée. Le monde semble avoir perdu son sens. Le théâtre des années 1950 met en scène un homme égaré, pantin mécanique incapable d'échanger avec autrui, dans un univers qui n'a pas de sens, et dans lequel il ne trouve nulle fraternité et nulle explication pour apaiser son angoisse. Êtres dont l'identité et l'individualité sont niées, les personnages du théâtre de l'absurde n'ont pas plus de caractère que de nom. Comme leurs agissements, leurs paroles défient toute logique. Antihéros pathétiques, ils sont à l'opposé des protagonistes de la tragédie classique.

Comme le théâtre épique, le théâtre de l'absurde bat en brèche les fondements du théâtre dramatique, supprimant l'action sur laquelle il repose et refusant la séparation des genres (ce qu'Eugène Ionesco justifie en ces termes : « Le comique étant l'intuition de l'absurde, il me semble plus désespérant que le tragique »). Pour mieux marquer leur distance avec le théâtre traditionnel, Jean Tardieu (p. 143) et Samuel Beckett (p. 147) parodient, chacun à sa manière, le vaudeville.

Une réflexion sur le langage

Comment exprimer de façon rationnelle l'absurde qui, par définition, échappe à toute logique ? Comment traduire par le langage ce qui n'a pas de sens ? L'absurde conduit à une crise du langage, transposée sur la scène théâtrale. Le langage y apparaît constamment hasardeux et lacunaire, incapable de construire un sens. Dans *La Cantatrice chauve* d'Eugène Ionesco, il tourne à vide et souligne l'absence de véritable échange entre les membres d'une famille.

■ Ionesco, *La Cantatrice chauve*, scène 1 (1950)

Né en Roumanie d'un père roumain et d'une mère française, Eugène Ionesco (1912-1984) obtient en 1938 une bourse de thèse qui lui permet d'aller étudier en France « le péché et la mort dans la poésie moderne ». Il travaille comme correcteur pour une maison d'édition parisienne et écrit sa première pièce, *La Cantatrice chauve*, qui, lors de sa création, essuie un échec. Reprise en 1957, elle rencontre une faveur qui depuis ne s'est pas démentie : cette pièce en un acte n'a jamais cessé d'être jouée au théâtre de la Huchette à Paris. Avec *La Leçon* (1951), sa deuxième pièce, Ionesco connaît un franc succès, que confirmeront *Rhinocéros* (1960) et *Le roi se meurt* (1962).

La Cantatrice chauve se déroule chez un couple de bourgeois anglais, les Smith. Inspirée par les dialogues absurdes de la méthode d'apprentissage de langues Assimil, la pièce, en dépit de son titre, ne fait intervenir aucune cantatrice. L'action est totalement inexistante (le dénouement ramène à la situation initiale), les dialogues sont vides et confinent au non-sens : c'est ce que révèle cette scène d'exposition paradoxale – loin de donner des informations et de poser les prémices de l'intrigue, l'échange est privé d'enjeux. Il souligne l'incapacité des personnages à communiquer et met en lumière l'insignifiance du langage, réduit à des expressions toutes faites et déconnectées de toute réalité.

Intérieur bourgeois anglais, avec des fauteuils anglais. Soirée anglaise.
M. Smith, Anglais, dans son fauteuil et ses pantoufles anglais, fume sa
pipe anglaise et lit un journal anglais, près d'un feu anglais. Il a des
lunettes anglaises, une petite moustache grise, anglaise. À côté de lui,
5 *dans un autre fauteuil anglais, Mme Smith, Anglaise, raccommode des*
chaussettes anglaises. Un long moment de silence anglais. La pendule
anglaise frappe dix-sept coups anglais.

MME SMITH. – Tiens, il est neuf heures. Nous avons mangé de la
soupe, du poisson, des pommes de terre au lard, de la salade
10 anglaise. Les enfants ont bu de l'eau anglaise. Nous avons
bien mangé, ce soir. C'est parce que nous habitons dans les
environs de Londres et que notre nom est Smith.

M. Smith, continuant sa lecture, fait claquer sa langue.

MME SMITH. – Les pommes de terre sont très bonnes avec le lard,
15 l'huile de la salade n'était pas rance[1]. L'huile de l'épicier du
coin est de bien meilleure qualité que l'huile de l'épicier d'en
face, elle est même meilleure que l'huile de l'épicier du bas
de la côte. Mais je ne veux pas dire que leur huile à eux soit
mauvaise.

20 *M. Smith, continuant sa lecture, fait claquer sa langue.*

MME SMITH. – Pourtant, c'est toujours l'huile de l'épicier du coin
qui est la meilleure…

M. Smith, continuant sa lecture, fait claquer sa langue.

MME SMITH. – Mary a bien cuit les pommes de terre, cette fois-ci.
25 La dernière fois elle ne les avait pas bien fait cuire. Je ne les
aime que lorsqu'elles sont bien cuites.

M. Smith, continuant sa lecture, fait claquer sa langue.

---

1. *Rance* : qui a une odeur très forte et un goût acre.

MME SMITH. – Le poisson était frais. Je m'en suis léché les babi-
nes. J'en ai pris deux fois. Non, trois fois. Ça me fait aller
aux cabinets. Toi aussi tu en as pris trois fois. Cependant la
troisième fois, tu en as pris moins que les deux premières fois,
tandis que moi j'en ai pris beaucoup plus. J'ai mieux mangé
que toi, ce soir. Comment ça se fait ? D'habitude, c'est toi qui
manges le plus. Ce n'est pas l'appétit qui te manque.

M. Smith fait claquer sa langue.

MME SMITH. – Cependant, la soupe était peut-être un peu trop
salée. Elle avait plus de sel que toi[1]. Ah, ah, ah. Elle avait aussi
trop de poireaux et pas assez d'oignons. Je regrette de ne pas
avoir conseillé à Mary d'y ajouter un peu d'anis étoilé. La
prochaine fois, je saurai m'y prendre.

M. Smith, continuant sa lecture, fait claquer sa langue.

MME SMITH. – Notre petit garçon aurait bien voulu boire de la
bière, il aimera s'en mettre plein la lampe[2], il te ressemble. Tu
as vu à table, comme il visait la bouteille ? Mais moi, j'ai versé
dans son verre de l'eau de la carafe. Il avait soif et il l'a bue.
Hélène me ressemble : elle est bonne ménagère, économe,
joue du piano. Elle ne demande jamais à boire de la bière
anglaise. C'est comme notre petite fille qui ne boit que du lait
et ne mange que de la bouillie. Ça se voit qu'elle n'a que deux
ans. Elle s'appelle Peggy.

La tarte aux coings et aux haricots a été formidable. On aurait
bien fait peut-être de prendre, au dessert, un petit verre de
vin de Bourgogne australien mais je n'ai pas apporté le vin à
table afin de ne pas donner aux enfants une mauvaise preuve
de gourmandise. Il faut leur apprendre à être sobre et mesuré
dans la vie. […]

La Cantatrice chauve, © Gallimard, 1963.

---

1. *Elle avait plus de sel que toi* : jeu de mots qui repose sur le terme «sel»,
entendu à la fois au sens propre (substance qui sert à l'assaisonnement des
aliments, ici la soupe) et au sens figuré (l'esprit, la finesse).
2. *S'en mettre plein la lampe* : boire à satiété (familier).

■ Tardieu, « Un mot pour un autre » (1951)

À l'âge de dix-sept ans, Jean Tardieu (1903-1995) est victime d'une crise de schizophrénie qui se traduit par des troubles de langage. Faut-il voir dans cette expérience angoissante l'origine de sa fascination pour le langage ?

C'est une rencontre avec André Gide et Roger Martin du Gard qui le met sur la voie de la littérature. Il travaille d'abord pour un journal professionnel, *Toute l'édition*, et compose des poemes remarqués pour leur caractère insolite. Pendant la Seconde Guerre mondiale, il participe à la publication de plaquettes de la Résistance et à des émissions radiophoniques clandestines. Au lendemain de la guerre, il est directeur d'émissions dramatiques de la RTF puis directeur des programmes de France-Musique. Dans ses textes de théâtre comme dans ses poèmes se manifeste sa passion pour la musique : la texture et la sonorité du mot, tout comme les mystères du langage, y sont inlassablement étudiés.

« Un mot pour un autre » montre trois personnages pris dans une situation vaudevillesque. Madame de Perleminouze, en visite chez Madame, interroge cette dernière sur son amant. Lorsque survient son mari, M. de Perleminouze, elle comprend qu'il est l'amant de son hôtesse. Par un jeu fantaisiste sur le langage, Tardieu met en cause la forme du vaudeville, soulignant le caractère stéréotypé des intrigues et l'insignifiance des paroles.

MME DE PERLEMINOUZE, *confidentiellement.* — Alors, toujours pas de pralines ?

MADAME. — Aucune.

MME DE PERLEMINOUZE. — Pas même un grain de riflard ?

5 MADAME. — Pas un ! Il n'a jamais daigné me repiquer, depuis le flot où il m'a zébrée !

MME DE PERLEMINOUZE. — Quel ronfleur ! Mais il fallait lui racler des flammèches !

MADAME. − C'est ce que j'ai fait. Je lui en ai raclé quatre, cinq, six
10   peut-être en quelques mous : jamais il n'a ramoné.

MME DE PERLEMINOUZE. − Pauvre chère petite tisane !… *(Rêveuse et
tentatrice.)* Si j'étais vous, je prendrais un autre lampion !

MADAME. − Impossible ! On voit que vous ne le coulissez pas ! Il
a sur moi un terrible foulard ! Je suis sa mouche, sa mitaine,
15   sa sarcelle ; il est mon rotin, mon sifflet ; sans lui je ne peux ni
coincer ni glapir ; jamais je ne le bouclerai ! *(Changeant de ton.)*
Mais j'y touille, vous flotterez bien quelque chose : une cloque
de zoulou, deux doigts de loto ?

MME DE PERLEMINOUZE, *acceptant.* − Merci, avec grand soleil.

20   MADAME, *elle sonne, sonne en vain. Se lève et appelle.* − Irma !… Irma,
voyons !… Oh cette biche ! Elle est courbe comme un tronc…
Excusez-moi, il faut que j'aille à la basoche, masquer cette
pantoufle. Je radoube dans une minette.

> *Madame de Perleminouze, restée seule, commence par bâiller.*
25   *Puis elle se met de la poudre et du rouge. Va se regarder dans la glace.*
> *Bâille encore, regarde autour d'elle, aperçoit le piano.*

MME DE PERLEMINOUZE. − Tiens ! Un grand crocodile de concert !
(Elle s'assied au piano, ouvre le couvercle, regarde le pupitre.) Et voici
naturellement le dernier ragoût des mascarilles à la mode !…
30   Voyons ! Oh, celle-ci, qui est si «to-be-or-not-to-be» !

> *Elle chante une chanson connue de l'époque 1900, mais elle en*
> *change les paroles. Par exemple, sur l'air : «Les petites Parisiennes/*
> *Ont de petits pieds… », elle dit :*

«… Les petites Tour-Eiffel
35   Ont de petits chiens…», etc.

> *À ce moment, la porte du fond s'entrouvre et l'on voit paraître dans*
> *l'entrebâillement la tête de Monsieur de Perleminouze, avec*
> *son haut-de-forme et son monocle. Madame de Perleminouze l'aperçoit.*
> *Il est surpris au moment où il allait refermer la porte.*

40   M. DE PERLEMINOUZE, *à part.* − Fiel !… Ma pitance !

MME DE PERLEMINOUZE, *s'arrêtant de chanter.* — Fiel !... Mon zébu !...
(Avec sévérité :) Adalgonse, quoi, quoi, vous ici ? Comment
êtes-vous bardé ?

M. DE PERLEMINOUZE, *désignant la porte.* — Mais par la douille !

45 MME DE PERLEMINOUZE. — Et vous bardez souvent ici ?

M. DE PERLEMINOUZE, *embarrassé.* — Mais non, mon amie, ma
palme..., mon bizon. Je... j'espérais vous raviner..., c'est
pourquoi je suis bardé ! Je...

MME DE PERLEMINOUZE. — Il suffit ! Je grippe tout ! C'était donc
50 vous, le mystérieux sifflet dont elle était la mitaine et la sarcelle ! Vous, oui, vous qui veniez faire ici le mascaret, le beau
boudin noir, le joli-pied, pendant que moi, moi, eh bien, je me
ravaudais les palourdes à babiller mes pauvres tourteaux...
(Les larmes dans la voix :) Allez !... Vous n'êtes qu'un...

55   *À ce moment, ne se doutant de rien, Madame revient.*

MADAME, *finissant de donner des ordres à la cantonade.* — Alors, Irma,
c'est bien tondu, n'est-ce pas ? Deux petits dolmans au linon,
des sweaters très glabres, avec du flou, une touque de ramiers
sur du pacha et des petites glottes de sparadrap loti au frein...
60 *(Apercevant le Comte. À part :)* Fiel !... Mon lampion !

*Elle fait cependant bonne contenance. Elle va vers le Comte, en exagérant
son amabilité pour cacher son trouble.*

           «Un mot pour un autre», *La Comédie du langage*,
           © Gallimard, 1987.

■ Harold Pinter, *L'Amant* (1962)

Très influencé par Samuel Beckett et le théâtre de l'absurde, le dramaturge et scénariste anglais Harold Pinter, né à Londres en 1930,
prix Nobel de littérature en 2005, aime à mettre en scène les réactions inexplicables et déstabilisantes de ses personnages confrontés
à des situations ordinaires.

Dans *L'Amant*, un couple, Richard et Sarah, s'adonne tous les après-midi à un divertissement érotique. Tandis que Sarah reçoit son amant à la maison, Richard rend visite à sa maîtresse. Au fil de la pièce, on découvre que Richard est en réalité l'amant de Sarah, et Sarah la maîtresse de Richard. Le couple se livre donc à un jeu de rôle, dans lequel chacun devient un autre.

La scène d'ouverture repose sur un contraste : alors que le décor et les personnages inscrivent la pièce dans un cadre bourgeois des plus conventionnels, le dialogue dérange – le mari semble accepter la présence de l'amant. En le déstabilisant, la pièce oblige le spectateur à remettre en cause ses grilles habituelles de lecture.

Le matin. Dans la pièce de séjour, Sarah vide et essuie des cendriers. Elle porte une robe légère, de coupe simple et discrète. Sortant de la salle de bains à gauche, Richard, en costume foncé, traverse la chambre et la pièce de séjour, prend son porte-documents dans le placard du vestibule,
5 *puis revient, s'approche de Sarah, l'embrasse sur la joue et la regarde un moment en souriant. Elle lui rend son sourire.*

RICHARD, *d'une voix tendre.* — Ton amant vient, aujourd'hui ?

SARAH. — Mmm-mm.

RICHARD. — À quelle heure ?

10 SARAH. — À trois heures.

RICHARD. — Vous avez l'intention de sortir, ou de rester ici ?

SARAH. — Oh... je crois que nous allons rester ici.

RICHARD. — Tu ne m'avais pas dit que tu voulais aller à cette exposition ?

15 SARAH. — Si, si... mais aujourd'hui je crois que je préfère rester ici avec lui.

RICHARD. — Mmm-mm... Bon, il est temps que je parte. *Il repasse dans le vestibule, prend son chapeau melon dans le placard et s'en coiffe. Il se retourne vers Sarah.* Tu penses qu'il va rester très
20 tard ?

SARAH, *avec un signe de tête affirmatif.* — Mmm-mm.

RICHARD. — Nous disons donc... six heures ?

SARAH. – Oui.

RICHARD. – Bon après-midi.

25 SARAH. – Mmm-mm.

RICHARD. – Au revoir.

SARAH. – 'voir.

> *Richard ouvre la porte et sort. Sarah continue d'épousseter. Noir.*

> L'Amant, in La Collection, suivi de L'Amant et le Gardien,
> trad. Éric Kahane, © Gallimard, 1967.

■ Beckett, *Comédie* (1972)

L'Irlandais Samuel Beckett (1906-1989) quitte sa terre natale pour Paris en 1928. Dans les années 1930, il sillonne l'Europe et c'est à Londres qu'il écrit ses premiers romans, sans parvenir à trouver un éditeur. Au lendemain de la guerre, il décide d'écrire en français : les Éditions de Minuit publient alors trois de ses romans. Parallèlement, Beckett s'essaie à la composition dramatique. En 1953, a lieu la première représentation de sa pièce *En attendant Godot*. Cette œuvre et les suivantes (*Fin de partie*, *Ô les beaux jours*) font scandale mais établissent la notoriété de leur auteur, qui obtient le prix Nobel de littérature en 1969.

Dans *Comédie*, courte pièce en un acte, Beckett parodie lui aussi le vaudeville. L'histoire, banale, met en scène un trio : un homme (H), sa femme et sa maîtresse (F1 et F2). Beckett dote ses protagonistes de visages « sans âge » et ne les désigne plus par leur nom, contestant ainsi l'illusion selon laquelle les personnages de théâtre existent, ont une identité et une personnalité propres. Tout dans la pièce contredit le genre parodié : aux traditionnelles portes qui claquent et aux incessantes allées et venues répond l'immobilité des trois individus enfermés dans une jarre, comme englués dans un quotidien où tout est matériel ; à la verve ordinairement comique des dialogues répondent la détresse et le désenchantement d'êtres pour qui ni l'amour ni le désir ne peuvent durer.

Personnages

F 1   Première Femme
F 2   Deuxième Femme
H   Homme

À l'avant-scène, au centre, se touchant, trois jarres identiques, un mètre
de haut environ, d'où sortent trois têtes, le cou étroitement pris dans le
goulot. Ce sont celles, de gauche à droite vues de l'auditoire, de F 2, H et
F 1. Elles restent rigoureusement de face et immobiles d'un bout à l'autre
5 *de l'acte. Visages sans âge, comme oblitérés[1], à peine plus différenciés que*
les jarres.

La parole leur est extorquée par un projecteur se braquant sur les visages
seuls.

Le transfert de la lumière d'un visage à l'autre est immédiat. Pas de noir
10 *(obscurité presque totale du début) sauf aux endroits indiqués.*

La réponse à la lumière est instantanée.

Visages impassibles. Voix atones[2] sauf aux endroits où une expression est
indiquée. Débit rapide.

Au lever du rideau, obscurité presque totale. On devine les jarres. Cinq
15 *secondes.*

Faibles projecteurs simultanément sur les trois visages. Voix faibles.

F 1, F 2, H *(ensemble)*

F 1. – Oui, bizarre, noir l'idéal, et plus il fait noir plus ça va
     mal, jusqu'au noir noir, et tout va bien, tant qu'il dure, mais
     ça viendra, l'heure viendra, la chose est là, tu la verras, tu
20   me lâcheras, pour de bon, tout sera noir, silencieux, révolu,
     oblitéré –

F 2. – Oui, sans doute, un peu dérangée, je veux bien, d'aucuns
     diraient, pauvre petite, un peu dérangée, à peine un rien, dans

---

1. *Oblitérés* : effacés par usure.
2. *Atones* : inexpressives, inaccentuées.

la tête *(faible rire effaré)*, à peine un rien, mais j'en doute, pas
25 vraiment, moi ça va, ça va encore, je fais de mon mieux, ce
que je peux –

H. – Oui, la paix, on y comptait, tout éteint, toute la peine, tout
comme si... jamais été, ça viendra *(hoquet)* pardon, éteindre
cette folie, oh je sais bien, mais quand même, on y comp-
30 tait, sur la paix, non seulement tout révolu, mais comme si...
jamais été –

Les projecteurs s'éteignent. Noir. Cinq secondes.
Forts projecteurs simultanément sur les trois visages. Voix force normale.

F 1, F 2, H *(ensemble)*

F 1. – Je lui dis, Laisse-la tomber –
35 F 2. – Un matin alors que je cousais –
H. – Nous n'étions pas longtemps ensemble –

Les projecteurs s'éteignent. Noir. Cinq secondes. Projecteur sur F 1.

F 1. – Je lui dis, Laisse-la tomber. Je jurai mes grands dieux –

Projecteur de F 1 à F 2.

40 F 2. – Un matin alors que je cousais devant la fenêtre ouverte
elle arriva en trombe et me vola dans les plumes. Laissez-le
tomber, hurla-t-elle, il est à moi. Ses portraits l'avantageaient.
La voyant alors pour la première fois de pied et en chair et en
os je compris qu'il pût me préférer.

Comédie, © Éditions de Minuit, 1972.

Du théâtre au cinéma

À la fin des années 1950 et dans les années 1960, le dialogue entre le théâtre et le cinéma est de plus en plus important : nombreuses sont les pièces adaptées à l'écran. La proximité entre les deux arts coïncide avec le développement sur scène d'une esthétique réaliste, qui perd son formalisme d'antan. Les auteurs peignent des milieux qu'ils connaissent parfaitement, et puisent leur inspiration dans la vie quotidienne. Sur les planches, ils évoquent des sujets jusque-là tabous : l'alcool et ses méfaits, la sexualité et ses déviances. Ressemblant aux spectateurs, les personnages des pièces connaissent des difficultés conjugales et matérielles, au point de se perdre dans de profonds abîmes.

■ Tennessee Williams, *La Chatte sur un toit brûlant*, acte I (1955)

C'est sa pièce *La Ménagerie de verre* (1945) qui offre une célébrité soudaine au dramaturge américain Tennessee Williams (1911-1983). L'œuvre est autobiographique : Tennessee, qui a rompu avec sa famille depuis 1937 à la suite de la lobotomie subie par sa sœur, schizophrène, met en scène cette dernière et sa mère. Deux ans plus tard, sa pièce *Un tramway nommé désir* confirme son succès. Elle est adaptée au cinéma par Elia Kazan, avec Marlon Brando dans le rôle principal. En vingt-quatre ans, Tennessee Williams fait représenter une vingtaine de pièces à Broadway, dont plusieurs sont reprises sur grand écran, notamment *La Chatte sur un toit brûlant*.

Dans cette œuvre sulfureuse, Margaret et Brick se déchirent depuis la mort de Skipper, le meilleur ami de Brick, et peut-être son ancien amant. Celui-ci boit et délaisse sa femme. La violence du couple est symbolisée par un «toit de tôle brûlant».

Alors que la famille est réunie pour fêter l'anniversaire du père de Brick, Margaret tente d'attiser la jalousie de son mari pour réveiller son désir. Elle le compare à d'autres hommes, lui rappelle qu'il n'est plus le champion qu'il a été et qu'il n'a aucune fortune personnelle.

L'importance des didascalies, qui précisent le sens de chaque geste, paraît suggérer que l'échange non verbal supplante le dialogue entre les deux époux.

BRICK, *de la salle de bains.* — Maman est partie ?

MARGARET. — Elle est partie. *(Brick entre, va au bar et remplit son verre.) (Margaret toujours face au miroir.)* Tu sais, je viens de réfléchir… Notre vie sensuelle n'est pas morte à petit feu, comme
5 ça se passe d'ordinaire, elle a été tranchée brusquement, d'un seul coup. Donc, elle va revivre, tout à coup, brusquement. J'en suis persuadée. *(Brick se retourne pour la regarder. Elle surprend son regard.)* C'est pourquoi il importe que je reste séduisante. Pour cet instant béni où tu reposeras sur moi le regard
10 des autres hommes – ce regard qui signifie que ce qu'ils voient leur plaît beaucoup… vraiment beaucoup… *(Brick descend vers la porte de la véranda à droite, son verre à la main.)* Les hommes m'admirent, tu sais. J'ai le corps mince, les muscles fermes, la chair jeune. Parfois, je te l'accorde, le visage est fatigué, mais
15 la ligne tient le coup, comme la tienne d'ailleurs. Les hommes se retournent sur moi, quand je marche dans la rue. L'autre jour, à Memphis, leurs yeux me fusillaient, au golf, au restaurant, dans les grands magasins. Je me sentais transpercée par tous ces regards d'hommes. Tiens, quand Alice a donné cette
20 soirée, tu sais bien, en l'honneur de ses cousins de New York,

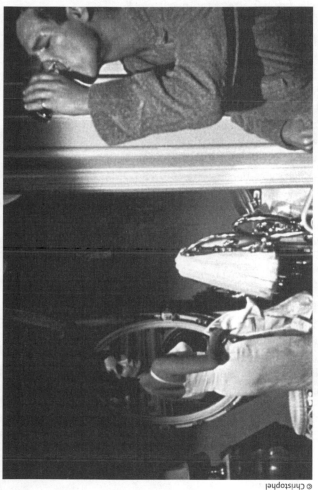

■ Adaptation de *La Chatte sur un toit brûlant*, par Richard Brooks (1958). Le conflit entre Margaret (Elizabeth Taylor) et Brick (Paul Newman) se lit dans le contraste entre l'élégance de la jeune femme, qui se prépare devant son miroir, et le laisser-aller de son mari, en peignoir. La sensualité de Margaret, que son époux ne désire plus, l'alcool dans lequel ce dernier se réfugie, sont au centre du drame qui se joue. Les notes de blanc, dans a tenue de la comédienne, mais aussi dans le décor (serviettes, draps, rideaux), suggèrent sans doute la quête d'une pureté et d'une innocence définitivement perdues.

le plus beau garçon de la bande ne m'a pas quittée d'une semelle, même quand je suis montée pour me poudrer le nez. J'ai dû claquer la porte et tourner la clef !

> *Pendant qu'elle parlait, Brick s'est assis sur le divan.*

25 BRICK. — Il fallait le laisser entrer.

MARGARET, *se tourne vers lui.* — J'en ai eu presque envie. Tu veux savoir qui c'est Sonny Maxwell. Voilà qui c'était.

BRICK. — Sonny Maxwell... Ah ! oui, un bon coureur de quatre cents. Dommage qu'il ait eu ce déplacement des vertèbres.

30 MARGARET, *remonte vers la droite.* — Ses vertèbres sont en place, il n'est pas marié et il a envie de moi !

BRICK. — Alors, aucune raison de lui fermer la porte.

> *Furieuse, Margaret saisit brusquement la serviette humide sur le bar et la jette sur Brick.*

35
> *Il l'attrape facilement et s'essuie le front avec.*
> *Au loin, trois cris de faucon.*
> *Margaret va dans la salle de bains.*
> *Brick cherche des yeux les faucons.*
> *Margaret revient : elle a passé une robe d'intérieur.*

40 MARGARET. — Tu m'y pousses avec tant de patiente obstination que je finirai un jour par te tromper, mon cher. Mais tu n'en sauras rien ; à part le type et moi, personne n'en saura rien. Pas plus par infidélité que pour nulle autre raison, jamais je ne te donnerai de motif de divorce.

45 BRICK. — Je n'ai pas l'intention de demander le divorce. Et ça me soulagerait que tu prennes un amant.

MARGARET. — Je ne veux pas prendre de risques. Je préfère rester sur ce toit de tôle brûlant...

BRICK, *se levant.* — Ce n'est pas très confortable.

50
> *Il se met à siffler doucement.*

MARGARET. – Non, mais j'y resterai aussi longtemps qu'il le faudra.

BRICK. – Pourquoi ne me quittes-tu pas ?

> *Il siffle.*

MARGARET. – Je n'en ai aucune envie. *(Brick est face à la porte pre-*
55   *mier plan. Au loin, trois cris de faucon. Au fond, Grand-père traverse*
la pelouse de droite à gauche suivi de Grand-mère qui chantonne «She
came to my window». Grand-père fume un gros cigare dont elle écarte
la fumée en agitant un mouchoir. Ils disparaissent. Margaret va à la
porte fond droite. Margaret à Brick :) D'ailleurs, pour divorcer, il
60   faut beaucoup d'argent et tu n'as pas un sou. *(Elle traverse la*
chambre et rejoint Brick.) Tu n'as que ce que ton père te donne
et ce n'est guère. S'il mourait demain…

Elle remonte vers la porte du fond.

La Chatte sur un toit brûlant, trad. André Hobey,
Raymond Rouleau, © 10/18, 2003.

■ Albee, *Qui a peur de Virginia Woolf?* (1962)

Adopté peu après sa naissance (1928) par une riche famille améri-
caine, Edward Albee découvre très tôt l'univers de la scène : son père
est propriétaire de plusieurs théâtres. La scolarité du jeune garçon est
chaotique. À dix-huit ans, sa mère le met à la porte de la maison et
l'exclut de son testament en raison de son homosexualité. Installé à
New York dans le quartier de Greenwich Village, il écrit sa première
pièce, *The Zoo Story*, en 1958. Refusée à New York, l'œuvre est jouée
à Berlin en 1959. L'année suivante, elle est finalement montée à
Greenwich Village, avec *Krapp's Last Tape*, une pièce de Beckett. C'est
le début d'une série de succès, parmi lesquels *Qui a peur de Virginia
Woolf?*, adapté au cinéma par Mike Nichols en 1966, avec Elizabeth
Taylor et Richard Burton.
Le titre de la pièce – qui traverse l'œuvre à la manière un refrain
obsédant – est un jeu de mots entre le titre de la chanson du des-
sin animé de Walt Disney *Les Trois Petits Cochons* – *Who's afraid of
the great big woolf?*, «Qui a peur du grand méchant loup?» – et le
nom de la romancière anglaise. La pièce met en scène quatre personnages : George, professeur à l'université, et Martha, son épouse,

fille du président de l'université, ont invité à dîner un nouvel ensei-
gnant, Nick, et sa femme, Honey. Au cours de cette soirée, George
et Martha se déchirent. Leur violence se tourne parfois contre leurs
invités, rendus spectateurs et victimes de cette scène de ménage. Le
véritable sens du titre apparaît à la fin de la pièce : avoir peur du grand
méchant loup, c'est avoir peur de vivre sans aucune illusion.

Dans le passage qui suit, la politesse ironique des deux époux ne
saurait étouffer la violence de la scène, caractérisée par la crudité de
son vocabulaire et les allusions impudiques à l'intimité de George et
Martha. Projecteur braqué sur le couple, la scène fait éclater ses faiblesses et ses cruautés.

GEORGE. – Martha a des goûts simples, question boissons… avec
les années, ils se sont simplifiés… codifiés. Quand je lui faisais
la cour – est-ce bien le mot juste – donc quand je lui faisais
la cour…

5 MARTHA, *gaiement*. – Quand tu commençais à me *baiser*, chéri !

GEORGE – Enfin, bref, à l'époque où je lui faisais la cour, Martha
commandait des trucs incroyables ! Vous ne le croirez jamais !
On entrait dans un bar… dans un *bar* ordinaire… Elle fron-
çait les sourcils, réfléchissait intensément, et l'inspiration
10 lui venait… elle commandait ce qu'elle pouvait inventer de
plus exotique, genre… cognac, crème de cacao frappée, gin
vodka jus de citron, punch flambé… des cocktails à sept
doses.

MARTHA. – C'était bon… J'aimais ça.

15 GEORGE. – De vraies petites liqueurs pour dames.

MARTHA. – Hey, mon alcool à brûler ? Il arrive ?

GEORGE, *revenant au bar roulant*. – Mais avec les années, Martha
a appris à ne pas mélanger n'importe quoi… elle sait maintenant qu'on met le lait dans le café, le jus de citron sur le
20 poisson… et qu'on sert l'alcool *(Tout en apportant son verre à
Martha)* pur et sans mélange… tiens, mon ange… de l'alcool
pur pour l'être le plus pur. *(Il lève son verre.)* À l'éblouissement

■ L'affiche de l'adaptation filmique de *Qui a peur de Virginia Woolf ?*, réalisée par Mike Nichols (1966), présente en gros plan les visages de George (Richard Burton) et Martha (Elizabeth Taylor). Les deux personnages ne se regardent pas, ce qui est signe de leur incapacité à communiquer. Leurs visages sont déformés par la colère et les cris. On sait que la comédienne accepta de prendre du poids et de s'enlaidir pour tourner ce film au côté de celui avec qui elle eut une liaison orageuse. L'affiche suggère ainsi la violence qui règne dans le couple de fiction comme dans le couple réel.

des yeux, au ravissement du cœur et à la cirrhose du foie[1]. À la vôtre !

25 MARTHA, *à tous*. – À votre santé, mes très chers. *(On boit.)* George est un poète... il a un talent à la Dylan Thomas[2] qui me met le feu là où je pense.

GEORGE – Fille vulgaire ! Devant des invités !

MARTHA. – Ha, ha, ha, ha ! *(À Honey et Nick.)* Hé, hé ! *(Elle chante,*
30 *battant la mesure verre à la main. Honey chantonnera avec elle vers*
la fin.)

> Qui a peur de Virginia Woolf,
> Virginia Woolf,
> Virginia Woolf,
35 > Qui a peur de Virginia Woolf...

Martha et Honey éclatent de rire ; Nick sourit.

HONEY. – C'était drôle ! C'était vraiment drôle...

NICK, *sèchement*. – Oui... très drôle.

MARTHA. – Ça m'a fait crever de rire ; vraiment, j'ai cru que j'allais
40 crever de rire. George n'a pas aimé. George a estimé que ce n'était pas drôle du tout.

GEORGE. – Par Dieu, Martha, tu tiens à reparler de ça ?

MARTHA. – J'essaie de te faire honte pour ton manque d'humour, mon ange, c'est tout.

45 GEORGE, *dangereusement calme, à Honey et Nick*. – Selon Martha, je n'ai pas ri assez fort. Martha estime que si l'on ne rit pas à en crever... comme elle le dit si élégamment... si l'on ne rit pas à en crever c'est qu'on ne s'amuse pas.

Qui a peur de Virginia Woolf ?,
trad. P. Laville, © Actes Sud (Papiers), 1996.

---

1. *Cirrhose du foie* : maladie dégénérative du foie.
2. *Dylan Thomas* : poète gallois (1914-1953) qui se signale par son lyrisme.

Le théâtre contemporain

La diversité du théâtre contemporain et l'absence de recul pour le considérer empêchent d'en donner une définition unique. On peut seulement en esquisser quelques traits : il tend à la fois vers une plus grande banalité (emploi d'une langue simple, ancrage des intrigues dans le quotidien) et vers une plus grande recherche formelle (à travers des jeux subtils de construction). L'illusion théâtrale est simultanément renforcée (les personnages représentés sur scène sont nos semblables) et niée par la théâtralité de l'écriture, d'autant plus sensible qu'elle n'est pas liée à l'héroïsme des personnages ou aux rebondissements de l'histoire.

■ Dario Fo (et Franca Rame), *Couple ouvert à deux battants* (1983)

Dario Fo naît en 1926. Il étudie l'architecture théâtrale et se passionne pour les grandes machineries de la Renaissance à l'Académie des beaux-arts de Milan avant d'interpréter pour la radio des monologues satiriques écrits de sa plume. Dans les années 1950, il s'essaie sur les planches comme comédien, puis collabore à la mise en scène de plusieurs films. Avec son épouse, Franca Rame, il fonde en 1954 une compagnie théâtrale qui met en scène des classiques européens et des pièces de leur cru.

À la fois drôle et spectaculaire, mêlant l'improvisation et la logorrhée verbale, le théâtre de Dario Fo s'inspire de la *commedia dell'arte* et s'alimente d'une violente charge sociale, surtout dirigée contre la bourgeoisie et l'Église ; cette dernière condamne plusieurs fois le dramaturge à subir le couperet de la censure. S'inspirant du Théâtre national populaire (qui a pour vocation de rendre des spectacles de qualité accessibles au plus grand nombre), il déplace le théâtre dans les usines. En 1997, il reçoit le prix Nobel de littérature.

La pièce *Couple ouvert à deux battants* commence alors que le personnage de « la femme » tente, une nouvelle fois, de se suicider. Au grand dam de son mari, celle-ci entreprend d'exposer au public les causes de son désespoir. Le passage se caractérise par un dispositif scénique très riche, qui superpose deux temporalités – le présent et le passé – et brise à plusieurs reprises l'illusion théâtrale en interpellant le spectateur, pris à partie dans la dispute.

La Femme, *au public, en se détachant presque de l'action.* – Si j'avais envie de mourir, c'était toujours pour la même raison : lui… il ne me désirait plus, il ne m'aimait plus. La tragédie recommençait chaque fois que je découvrais une nouvelle liaison
5   de mon mari.

Elle pointe le pistolet contre sa tempe.

L'Homme, *cherchant à lui arracher le pistolet des mains.* – Tâche de comprendre, avec les autres, c'est une affaire de sexe, sans plus.

10 La Femme, *cherchant à se dégager.* – Et avec moi, il n'est même plus question de sexe.

L'Homme. – Avec toi, c'est différent… Pour toi, j'ai beaucoup d'estime…

La Femme, *abandonnant toute résistance, conciliante.* – Ah ! bon, s'il y
15 a l'estime… Qu'est-ce qui compte le plus, entre un homme et une femme… L'estime, non ? Va te faire foutre !

L'Homme. – Oooh !

LA FEMME, *au public.* – Oui, dans ces cas-là, je devenais vraiment vulgaire. Vous comprenez, les banalités que débitait mon mari me faisaient sortir de mes gonds. Ça ne pouvait plus durer, il y avait un bon moment qu'il ne faisait plus l'amour avec moi...

L'HOMME. – Et voilà... je ne comprends pas que tu puisses tout déballer en public...

LA FEMME. – Ça t'embête, hein ?

LA FEMME, *s'adressant au public.* – Au début, je me faisais du souci. Je pensais qu'il était malade, épuisé.

> *Elle veut passer devant la fenêtre,*
> *à l'avant-scène. Le mari l'arrête.*

L'HOMME. – Attention, tu t'approches du vide...

LA FEMME. – Tu es fou ? C'est le proscenium[1].

L'HOMME. – Mais la scène s'arrête ici. *(Il montre la fenêtre.)*

LA FEMME. – Moi, je suis dans la fiction, je raconte mon histoire... je sors du personnage, je quitte la scène... je vais où je veux. Ne m'interromps pas ! Je suis en train de parler avec eux. *(Au public.)* Je disais donc que je craignais qu'il ne soit épuisé. J'ai découvert ensuite que ce salaud avait une vie sexuelle des plus intenses. Avec d'autres femmes, évidemment. Et quand, désespérée, je lui demandais *(s'adressant directement à son mari, tristement)* : « Pourquoi tu ne me désires plus... pourquoi tu ne veux plus faire l'amour avec moi... » *(Au public.)* Il détournait la conversation !

L'HOMME. – Je détournais, moi ?

LA FEMME. – Oui, toi. *(Au public.)* Une fois, il a même essayé d'incriminer la politique.

L'HOMME, *s'asseyant sur le rebord de la fenêtre, les jambes pendant à l'extérieur de la fenêtre.* – Moi ?

LA FEMME, *effrayée.* – Attention ! Il y a le vide.

L'HOMME. – Je suis dans la fiction...

---

1. *Proscenium* : avant-scène.

LA FEMME. – Toi, non. Tu es au cinquième étage ! *(Le mari descend de la fenêtre. Elle reprend le dialogue avec le public.)* Donc, une fois, il a essayé d'incriminer la politique… Imaginez la scène… Nous sommes au lit… nuit noire. « Pourquoi ne veux-tu pas faire l'amour avec moi ? » – « Essaie de me comprendre… Je n'y arrive pas… Je suis inquiet… L'Italie va à vau-l'eau. Le reflux… »

L'HOMME. – Ce n'est pas moi qui l'ai inventé, le reflux. C'est une réalité. Tu sais bien que c'est vrai, qu'après les échecs répétés de nos luttes, nous nous sommes tous sentis floués, avec le vide sous nos pas. On jette les yeux autour de soi et qu'est-ce qu'on découvre ? Le désengagement, le cynisme !

LA FEMME. – Tu as raison ! Alors les uns, déçus par la politique, laissent tomber famille et enfants pour se jeter dans le fanatisme écolo… D'autres laissent tomber leur bureau et montent un restaurant macrobiotique[1]. D'autres enfin quittent leur femme et montent un bordel… à leur usage exclusif ! C'est toujours la faute de la politique, non ?

Couple ouvert à deux battants,
trad. Valéria Tasca, © Dramaturgie, 1986.

■ Koltès, *Roberto Zucco* (1988)

À vingt ans, Bernard-Marie Koltès (né en 1948) assiste ébloui à la représentation de la tragédie *Médée* de Sénèque, mise en scène par Jorge Lavelli, et interprétée par Maria Casarès. Le choc de cette expérience le conduit à écrire pour le théâtre. Koltès obtient rapidement la reconnaissance du public grâce à Patrice Chéreau, qui le met en scène. Il meurt du sida à l'âge de quarante et un ans.

---

1. *Macrobiotique* : où l'on sert des plats à base de céréales et de légumes biologiques.

Écrite en 1988 et jouée pour la première fois à Berlin en 1990, la pièce *Roberto Zucco*, dans laquelle Koltès travaille ses thèmes de prédilection – la marginalité, la difficulté à communiquer –, est inspirée de l'histoire vraie d'un tueur en série italien nommé Roberto Succo (1962-1988). Après avoir assassiné mère et père, celui-ci fut interné dans un hôpital psychiatrique dont il réussit à s'enfuir. Lors de sa cavale en France, où d'autres victimes succombèrent à ses coups, il s'attacha à une jeune fille, avec laquelle il noua des relations intimes. Bernard-Marie Koltès met ici en scene leur rencontre.

LA GAMINE. – […]. Comment t'appelles-tu ?

ZUCCO. – Appelle-moi comme tu veux. Et toi ?

LA GAMINE. – Moi, je n'ai plus de nom. On m'appelle tout le temps de noms de petites bêtes, poussin, pinson, moineau,
5   alouette, étourneau, colombe, rossignol. Je préférerais que l'on m'appelle rat, serpent à sonnettes ou porcelet. Qu'est-ce que tu fais, dans la vie ?

ZUCCO. – Dans la vie ?

LA GAMINE. – Oui, dans la vie : ton métier, ton occupation, com-
10   ment tu gagnes de l'argent, et toutes ces choses que tout le monde fait ?

ZUCCO. – Je ne fais pas ce que fait tout le monde.

LA GAMINE. – Alors justement, dis-moi ce que tu fais.

ZUCCO. – Je suis agent secret. Tu sais ce que c'est, un agent
15   secret ?

LA GAMINE. – Je sais ce que c'est qu'un secret.

ZUCCO. – Un agent, en plus d'être secret, il voyage, il parcourt le monde, il a des armes.

LA GAMINE. – Tu as une arme ?

20 ZUCCO. – Bien sûr que oui.

LA GAMINE. – Montre-moi.

ZUCCO. – Non.

LA GAMINE. – Alors, tu n'as pas d'arme.

ZUCCO. – Regarde. *(Il sort un poignard.)*

25 LA GAMINE. – Ce n'est pas une arme, ça.

ZUCCO. – Avec ça, tu peux tuer aussi bien qu'avec n'importe qu'elle autre arme.

LA GAMINE. – En dehors de tuer, qu'est-ce qu'il fait d'autre, un agent secret ?

30 ZUCCO. – Il voyage, il va en Afrique. Tu connais l'Afrique ?

LA GAMINE. – Très bien.

ZUCCO. – Je connais des coins, en Afrique, des montagnes tellement hautes qu'il y neige tout le temps. Personne ne sait qu'il neige en Afrique. Moi, c'est ce que je préfère au monde : la
35 neige en Afrique qui tombe sur des lacs gelés.

LA GAMINE. – Je voudrais aller voir la neige en Afrique. Je voudrais faire du patin à glace sur les lacs gelés.

ZUCCO. – Il y a aussi des rhinocéros blancs qui traversent le lac, sous la neige.

40 LA GAMINE. – Comment tu t'appelles ? Dis-moi ton nom.

ZUCCO. – Jamais je ne te dirai mon nom.

LA GAMINE. – Pourquoi ? Je veux savoir ton nom.

ZUCCO. – C'est un secret.

LA GAMINE. – Je sais garder les secrets. Dis-moi ton nom.

45 ZUCCO. – Je l'ai oublié.

LA GAMINE. – Menteur.

ZUCCO. – Andreas.

LA GAMINE. – Non.

ZUCCO. – Angelo.

50 LA GAMINE. – Ne te moque pas de moi ou je crie. Ce n'est aucun de ces noms-là.

ZUCCO. – Et comment le sais-tu puisque tu ne le sais pas ?

LA GAMINE. – Impossible. Je le reconnaîtrais tout de suite.

ZUCCO. – Je ne peux pas le dire.

55 LA GAMINE. – Même si tu ne peux pas le dire, dis-le-moi quand même.

ZUCCO. – Impossible. Il pourrait m'arriver un malheur.

LA GAMINE. – Cela ne fait rien. Dis-le-moi quand même.

© Pascal Gely Agence Bernand

■ La « Gamine » (Chloé Rejon) et Roberto Zucco (Xavier Gallais) dans la mise en scène de la pièce de Koltès par Philippe Calvario au théâtre des Bouffes-du-Nord à Paris (2004). Si le geste de Roberto Zucco suggère l'emprise qu'il exerce sur la jeune fille, le face-à-face des personnages traduit leur ressemblance et le rapport de symétrie qui caractérise leur relation selon le metteur en scène : « *Zucco raconte deux histoires principales, celle de Roberto et celle de la Gamine. Les scènes s'alternent dans un équilibre absolu : une pour lui, une pour elle. À l'entrelacs de leurs parcours correspond la mise en miroir de leurs actes : si Zucco tue père, mère et enfant, la Gamine, elle, fait voler en éclats l'équilibre de son système familial par sa rencontre avec Zucco.* »

ZUCCO. – Si je te le disais, je mourrais.

60 LA GAMINE. – Même si tu dois mourir, dis-le-moi quand même.

ZUCCO. – Roberto.

LA GAMINE. – Roberto quoi ?

ZUCCO. – Contente-toi de cela.

LA GAMINE. – Roberto quoi ? Si tu ne me le dis pas, je crie, et mon
65 frère, qui est très en colère, te tuera.

ZUCCO. – Tu m'as dit que tu savais ce que c'était un secret. Est-ce
que tu le sais vraiment ?

LA GAMINE. – C'est la seule chose que je sais parfaitement. Dis-
moi ton nom, dis-moi ton nom.

70 ZUCCO. – Zucco.

LA GAMINE. – Roberto Zucco. Je n'oublierai jamais ce nom.

Roberto Zucco, © Éditions de Minuit, 2001.

■ Xavier Durringer, *Bal-trap* (1994)

Né à Paris en 1963, Xavier Durringer s'est affirmé aussi bien comme dramaturge (*Surfeurs*, 1998 ; *Les Déplacés*, 2005) que comme réalisateur (*La Nage indienne*, 1993). Il dirige la compagnie théâtrale La Lézarde depuis 1989. Ses œuvres mettent en scène des marginaux, sans complaisance ni ton moralisateur, dans une langue qui oscille entre réalisme cru et poésie.

À la fin d'un bal, dans un coin perdu de campagne, Gino et Lulu, les deux personnages de *Bal-trap*, qui se sont aimés, puis séparés, tentent de renouer avec leurs anciens sentiments. Pour cela, ils rejouent l'épisode de leur rencontre. La scène superpose deux strates temporelles – le passé et le présent –, au point de créer une confusion : s'embrassent-ils dans le passé ou dans le présent ? Le dialogue repose sur un conflit entre la théâtralité (le théâtre dans le théâtre) et l'illusion réaliste que crée une langue extrêmement simple.

LULU. – Alors, on fait comment ?

GINO. – Attends.

LULU. – Attendre quoi ?

GINO. – Pas se presser. Surtout pas se presser.

5 LULU. – Plus on attend, plus ça va être difficile.

GINO. – Moi, je crois le contraire.

LULU. – Faut y aller tant que c'est chaud, je peux pas me retenir.

GINO. – D'aller trop vite, on va tout faire rater.

LULU. – Mais non, mais non ! Qu'est-ce que tu racontes ?

10 GINO. – Bon, allez. Allons-y !

LULU. – Faut sortir toutes les choses, se mettre dans les conditions.

GINO. – Quelles conditions ?

LULU. – D'avant. Les conditions d'avant.

15 GINO. – Faut se rappeler exactement.

LULU. – La première image.

GINO. – La première image que j'ai eue de toi, t'étais là-bas contre le mur. T'avais l'air toute perdue dans tes nuages.

LULU. – Contre le mur de là-bas…

20 GINO. – Contre le mur. Qu'est-ce que t'attends ? Va te mettre contre le mur !

LULU. – Oui.

GINO. – T'avais un genou replié.

LULU. – Au début, tu me voyais pas.

25 GINO. – Je faisais juste semblant de ne pas te voir. Mais je t'avais même derrière la tête. Je pouvais te deviner, te sentir et je me disais merde, comment je vais faire pour aller lui parler ?

LULU. – Tu me tournais autour.

GINO. – Merde, comment je vais faire pour lui parler ?

30 LULU. – Tu tournais.

GINO. – Faut que je trouve un truc, quelque chose d'original à lui dire. Jésus-Marie !

LULU. – Ça m'amusait de te voir là, semblant penser à autre chose que moi.

GINO. – Et puis, je t'ai vue, dans tes yeux. J'ai vu ton genou replié et je pouvais voir loin jusqu'entre tes jambes. Loin. Une toute petite fraction de seconde, un éclair foudroyant. Je me suis dit nom de Dieu, si tu vas pas lui parler, tu feras jamais rien de bon de ta vie. Le cul qu'elle doit avoir, pas possible d'imaginer ça.

LULU. – Je te voyais tourner mine de rien et t'étais tout agité.

GINO. – Je croyais être sûr de moi pourtant.

LULU. – Et t'es venu me parler.

GINO. – Oui.

LULU. – Oui.

GINO. – Qu'est-ce que j'ai dit ?

LULU. – Tu m'as demandé du feu pour ta clope ou une clope pour ton feu.

GINO. – Non.

LULU. – Si.

GINO. – T'es sûre ? Moi, je me rappelle pas de ça.

LULU. – Rien de plus sûr, je te dis.

GINO. – Si c'est ça, c'est nul comme truc !

LULU. – Tu sais, c'est pas grave. T'aurais pu me demander n'importe quoi. C'est pas ça qu'était important… T'aurais même pu me parler chinois que ça aurait fait l'affaire.

GINO. – Je regardais tes yeux tout brillants et on a parlé.

LULU. – Tu as parlé ! Tu m'as raconté toute ta vie et je comprenais qu'un mot sur deux, tellement t'allais vite. T'étais tout embrouillé. Mais moi, je m'en foutais. Voyais que tes yeux, moi.

GINO. – Tout ce que je disais était clair comme de l'eau de roche.

LULU. – Tu me racontais ta vie entière.

GINO. – Non, juste les trucs importants, pour que tu saches un peu ce qui s'était passé avant toi et sans toi et que tu me poses pas des questions à tout bout de champ. Y a rien de plus chiant que quelqu'un qu'arrête pas de poser des questions !

LULU. – Et puis, t'as approché ta bouche tout lentement…

GINO. – Comme au ralenti, je me rappelle.
70 LULU. – Tu m'as embrassée.
GINO. – Oui.
LULU. – Alors ?
GINO. – Alors quoi ?
LULU. – Qu'est-ce que t'attends ?
75 GINO. – Rien.
LULU. – Bien embrasse-moi, alors !
GINO. – Oui.
LULU. – Qu'est-ce que tu fais ?
GINO. – Je mouille un peu mes lèvres. J'ai la bouche toute sèche.
80 LULU. – Embrasse-moi !
GINO. – C'est vrai, ça fait quelque chose, là…
LULU. – Dis plus rien !

Ils s'embrassent.

Bal-trap, © Éditions Théâtrales, 1994.

■ Michel Azama, *Amours fous*, scènes 10 et 11 (1993)

Michel Azama naît dans les Pyrénées-Orientales en 1947. Après une formation théâtrale au cours Simon et à l'école Jacques Lecoq, il est successivement comédien, dramaturge pour le Nouveau Théâtre de Bourgogne à Dijon et rédacteur en chef de la revue *Les Cahiers de Prospero*, dédiée à la création théâtrale contemporaine. Il se consacre aujourd'hui à l'écriture dramatique (*Le Sas*, 1986 ; *Zoo de nuit*, 1994). Dans *Amours fous*, le mariage de Christine, fille d'Alice et de Richard, est l'occasion de réunir famille et amis. Cette heureuse circonstance met alors au jour les dissensions qui déchirent le couple formé par les parents de la mariée. Cependant, la construction de la pièce révèle que tous deux recherchent dans leurs amants respectifs le double de l'autre : au-delà de la tromperie s'exprime peut-être un amour véritable.

Scène 10

Dans le jardin.

ALICE, ANTOINE.

ALICE. – Sois prudent. Il se doute de quelque chose. Il m'a interrogée toute la nuit. Un vrai bourreau.

ANTOINE. – Je sais. Il a failli me casser la gueule dans le hall.

ALICE. – Quelle brute !

5 ANTOINE. – Au fait je t'ai apporté ça.

ALICE. – Oh. Tu es un amour. Tu crois qu'il y aurait pensé lui à m'offrir une babiole…

ANTOINE. – Arrête de me comparer à lui.

ALICE. – C'est ton meilleur ami non ? Vous ne vous lâchez pas
10 d'une semelle à la chasse au foot au tennis à la pêche…

ANTOINE. – Justement. Je le connais assez pour savoir en quoi je le dépasse.

Il l'embrasse. Elle se dégage.

ALICE. – Tu es fou. Pas ici pas maintenant. Demain soir si tu veux
15 quand il sera à son conseil d'administration.

Scène 11

Une autre partie du jardin.

CHLOÉ, RICHARD.

CHLOÉ. – Sois prudent. Il se doute de quelque chose. Il m'a interrogée toute la nuit. Un vrai bourreau.

RICHARD. – Je sais. Il a failli me casser la gueule dans le hall.

CHLOÉ. – Quelle brute !

20 RICHARD. – Au fait je t'ai apporté ça.

CHLOÉ. – Oh. Tu es un amour. Tu crois qu'il y aurait pensé lui à m'offrir une babiole…

RICHARD. – Arrête de me comparer à lui.

CHLOÉ. – C'est ton meilleur ami non ? Vous ne vous lâchez pas
25   d'une semelle à la chasse au foot au tennis à la pêche…

RICHARD. – Justement. Je le connais assez pour savoir en quoi je le dépasse.

Il l'embrasse. Elle se dégage.

CHLOÉ. – Tu es fou ? Pas ici pas maintenant. Demain soir si tu
30   veux quand il sera à son conseil d'administration.

Amours fous, in *Saintes Familles*,
© Éditions Théâtrales, 2002.

■ Yasmina Reza, *Trois Versions de la vie* (2000)

Née à Paris en 1959, Yasmina Reza est l'auteur de récits, de romans et d'œuvres théâtrales, notamment *Conversations après un enterrement* (1987) et *Art* (1995), deux pièces pour lesquelles elle a été récompensée par un Molière. Lors de la création de *Trois Versions de la vie*, elle endosse également le costume de comédienne, incarnant Inès, l'un des personnages de sa pièce.

Trois Versions de la vie est composée de trois parties, qui sont autant de variations sur une situation donnée : Hubert et Inès viennent dîner chez Sonia et Henri, qui ne les attendaient que le lendemain. Ceux-ci sont d'autant plus embarrassés que Henri espère le soutien d'Hubert, son directeur de recherche.

Cette visite inattendue révèle les failles du couple uni que semblaient pourtant former Sonia et Henri.

I

HUBERT. – [...] Alors, où en êtes-vous avec l'aplatissement des halos[1]?

HENRI. – J'ai fini. Je soumets l'article avant la fin du mois.

HUBERT. – Épatant. Cela dit vous devriez vérifier sur Astro PH, il
5   m'a semblé voir une publication voisine, acceptée dans *A.P.J.*

L'ENFANT, *de la chambre.* – Maman!

HENRI, *atterré.* – Ah bon? Très récente alors?

HUBERT. – Oui, oui, ce matin. *« On the flatness of galaxy halos ».*

L'ENFANT. – Maman!

10 HENRI. – *« On the flatness of galaxy halos »*? C'est mon sujet!
Qu'est-ce qu'il veut, Sonia, vas-y ma chérie!

Sonia sort.

HENRI. – Vous me perturbez, Hubert.

HUBERT. – Vérifiez avant de vous mettre martel en tête.

15 HENRI. – J'ai laissé mon portable à l'Institut.

On entend l'enfant pleurer.

HENRI. – Mais qu'est-ce qu'il a ce soir! *« On the flatness of galaxy
halos »*, c'est mon sujet! *« Are the dark matter halos of galaxies
flat ? »* Quelle différence?

20 HUBERT. – Il traite peut-être de matière visible. J'ai lu l'abstract en
vitesse. *(Croquant le dernier petit gâteau.)* Mais je dois dire que ça
m'a troublé, c'est pour ça que je vous en informe.

INÈS, *tandis qu'on entend toujours l'enfant pleurer.* – Il vaut mieux qu'il
lise avant de s'inquiéter.

25 HUBERT. – Inès, mon cœur, n'interviens pas quand tu ne sais pas
de quoi tu parles.

HENRI, *à voix forte.* – Qu'est-ce qu'il a, Sonia!

INÈS. – Pourquoi l'oppresser à l'avance?

Sonia revient.
30   *L'enfant a cessé de pleurer.*

---

1. *Halos* : cercles lumineux autour d'un astre.

Sonia. – Il veut des Fingers.

Henri. – C'est dément.

Sonia. – Il a eu la pomme, maintenant il veut les Fingers.

Hubert, *soulevant le paquet vide.* – J'espère que ce ne sont pas les
friandises que je viens de manger ?

Sonia. – Si.

Henri. – Vous avez très bien fait ! On ne va pas lui donner des
Fingers à dix heures du soir. Au lit !

II

Hubert. – [...] Et à part ça Henri, où en êtes-vous avec l'aplatissement des halos ? *(Ils croquent les Fingers.)* Pas mauvais, ces
petits gâteaux.

Henri. – J'ai fini. Je soumets l'article avant la fin du mois.

Hubert. – Formidable. Cela dit vous devriez vérifier sur Astro
PH, il m'a semblé voir une publication voisine acceptée dans
A.P.J.

Henri. – Récente ?

Hubert. – Ce matin. *« On the flatness of galaxy halos ».*

Henri. – *« On the flatness of galaxy halos » !*

Sonia, *charmante.* – Hubert, qu'est-ce qui vous prend, vous n'allez
pas démoraliser mon mari ?

Hubert. – À mon avis Sonia, il en faut plus pour démoraliser
Henri.

Inès. – C'est quoi votre sujet ?

Henri. – Le même : *« Are the dark matter halos of galaxies
flat ? »*

Inès. – Ce qui veut dire ?

Henri. – Les halos de matière noire des galaxies sont-ils plats ?

Inès. – Et ils sont plats ?

HUBERT. – Inès, trésor, c'est quoi ces questions, qu'est-ce que tu
60   connais ?

INÈS. – Je m'intéresse aux travaux d'Henri.

HUBERT. – Elle ne s'est jamais intéressée aux miens. Vous lui faites
      une sérieuse impression mon vieux !

HENRI. – Je suis maudit.

65 SONIA, *toujours légère*. – Henri, je t'en prie !

HUBERT. – Les grands mots ! J'ai lu l'abstract en vitesse, il a peut-
      être abordé les galaxies elliptiques…

HENRI. – Il a modélisé ?

HUBERT. – Possible.

70 HENRI. – Alors il parle des galaxies spirales !

HUBERT. – Il traite peut-être de la matière visible, on ne connaît
      pas ses conclusions…

HENRI. – Je suis maudit ! Je ne publie rien pendant trois ans et un
      con me pique le sujet au moment où je vais le soumettre. Ça
75   s'appelle maudit !

L'ENFANT. – Papa !

III

HUBERT. – [...] Ceci dit, vous devriez vérifier sur Astro PH, il m'a
      semblé voir une publication voisine acceptée dans *A.P.J.*

HENRI. – « *On the flatness of galaxy dark halos* », exact, Raoul
80   Arestegui, un collègue, m'a appelé pour me le signaler, j'ai
      laissé mon portable au bureau.

HUBERT. – Pas loin de votre sujet, non ? Un drame ces gâteaux,
      enlevez-les-moi.

HENRI. – Allez-y, je vous en prie, j'ai honte de cette manière de
85   recevoir, tout à fait mon sujet, apparemment c'est le sujet en
      vogue, une équipe mexicaine.

HUBERT. – Les Mexicains s'y mettent, on dirait !

HENRI. – On dirait !

HUBERT. – Embêtant ?

90 HENRI. – J'espère pas. Je ne sais pas quelle est leur approche ni leur conclusion, Raoul doit me rappeler. Il y a de bonnes chances pour que nous soyons complémentaires.

HUBERT. – Oui, oui, oui. Bien sûr.

HENRI. – Faisons confiance à la diversité des cerveaux humains.

95 HUBERT. – Bravo.

HENRI. – Je vais devoir inclure leurs résultats dans mon article. C'est presque un avantage.

HUBERT. – Certainement ! Je vous trouve très en forme Henri.

HENRI. – Fatigué mais en forme, oui.

100 HUBERT. – Agréable ce quartier.

HENRI. – Très.

Apparaît Sonia.

SONIA. – Il veut que tu viennes…

HENRI. – J'aimerais mieux qu'il dorme.

105 SONIA. – Il montre à Inès son aéroport et il dit que tu ne l'as pas vu.

HENRI. – Vous m'excusez deux minutes Hubert.

Il sort.
Hubert et Sonia restent seuls.
110 *Aussitôt Hubert se jette sur Sonia et tente de l'attirer à lui.*

HUBERT. – Dans ce déshabillé, pas maquillée, chez vous, au milieu de vos objets, si vous aviez voulu m'anéantir il ne fallait pas en montrer davantage…

SONIA *(elle rit et tente de lui échapper – mollement)*. – Vous êtes
115 dingue…

Trois Versions de la vie, © Albin Michel, 2000.

DOSSIER

■ À la découverte du genre théâtral

■ Comique et tragique

À la découverte du genre théâtral

Le titre

C'est d'abord par son titre qu'on découvre une œuvre théâtrale, qu'on la lise ou qu'on la voie représenter. Celui-ci peut prendre des formes diverses : il peut se limiter à un nom, celui du personnage principal le plus souvent, ou former une phrase entière qui ébauche l'intrigue ou la morale de la pièce. Ses fonctions sont diverses : il peut informer le spectateur ou le lecteur potentiels sur le contenu de la pièce ou sur son genre, il peut le surprendre et le déstabiliser...

> Comparez les titres des différentes pièces dont sont extraits les textes de cette anthologie : vous permettent-ils de distinguer les tragédies, les comédies, les drames ? Quelles indications vous apportent-ils ? Lesquels vous donnent envie de découvrir la pièce ? Pourquoi ?

La notice

À la suite du titre, le lecteur découvre la notice, c'est-à-dire la liste des personnages parfois accompagnée d'indications sur le cadre spatio-temporel de la pièce. S'il est muni d'un programme, le spectateur peut lui aussi prendre connaissance de la liste des personnages avant que le spectacle commence.

Notice 1 (Racine, *Britannicus*)

NÉRON, empereur, fils d'Agrippine.
BRITANNICUS, fils de l'empereur Claudius.
AGRIPPINE, veuve de Domitius Enobarbus, père de Néron, et en secondes noces veuve de l'empereur Claudius.

JUNIE, amante de Britannicus.
BURRHUS, gouverneur de Néron.
NARCISSE, gouverneur de Britannicus.
ALBINE, confidente d'Agrippine.
Gardes.
La scène est à Rome, dans une chambre du palais de Néron.

Notice 2 (Racine, *Bérénice*)

TITUS, empereur de Rome.
BÉRÉNICE, reine de Palestine.
ANTIOCHUS, roi de Comagène.
PAULIN, confident de Titus.
ARSACE, confident d'Antiochus.
PHÉNICE, confidente de Bérénice.
RUTILE, Romain.
Suite de Titus.
La scène est à Rome, dans un cabinet qui est entre l'appartement de Titus et celui de Bérénice.

Notice 3 (Molière, *Le Tartuffe*)

MADAME PERNELLE, mère d'Orgon.
ORGON, mari d'Elmire.
ELMIRE, femme d'Orgon.
DAMIS, fils d'Orgon.
MARIANE, fille d'Orgon et amante de Valère.
VALÈRE, amant de Mariane.
CLÉANTE, beau-frère d'Orgon.
TARTUFFE, faux dévot.
DORINE, suivante de Mariane.
MONSIEUR LOYAL, sergent.
Un exempt.
FLIPOTE, servante de Madame Pernelle.
La scène est à Paris.

Notice 4 (Molière, *George Dandin*)

GEORGE DANDIN, riche paysan, mari d'Angélique.

ANGÉLIQUE, femme de George Dandin et fille de M. de Sotenville.

M. DE SOTENVILLE, gentilhomme campagnard, père d'Angélique.

MME DE SOTENVILLE, sa femme.

CLITANDRE, amoureux d'Angélique.

CLAUDINE, suivante d'Angélique.

LUBIN, paysan, servant de Clitandre.

COLIN, valet de George Dandin.

La scène est devant la maison de George Dandin.

Notice 5 (Beaumarchais, *Le Mariage de Figaro*)

LE COMTE ALMAVIVA, grand corrégidor[1] d'Andalousie.

LA COMTESSE, sa femme.

FIGARO, valet de chambre du Comte et concierge du château.

SUZANNE, première camariste[2] de la Comtesse et fiancée de Figaro.

MARCELINE, femme de charge[3].

ANTONIO, jardinier du château, oncle de Suzanne et père de Fanchette.

FANCHETTE, fille d'Antonio.

CHÉRUBIN, premier page du Comte.

BARTHOLO, médecin de Séville.

BAZILE, maître de clavecin de la Comtesse.

DON GUSMAN BRID'OISON, lieutenant du siège.

DOUBLE-MAIN, greffier, secrétaire de don Gusman.

Un huissier audiencier.

GRIPE-SOLEIL, jeune patoureau[4].

Une jeune bergère.

PÉDRILLE, piqueur du Comte.

---

1. *Grand corrégidor* : juge.

2. *Camariste* : femme de chambre.

3. *Femme de charge* : intendante.

4. *Patoureau* : berger.

Personnages muets :
        troupe de valets
        troupe de paysannes
        troupe de paysans
La scène est au château d'Aguas-Frescas, à trois lieues de Séville.

Notice 6 (Labiche, *Un chapeau de paille d'Italie*)

FADINARD, rentier.
NONANCOURT, pépiniériste.
BEAUPERTHUIS.
VÉZINET, sourd.
TARDIVEAU, teneur de livres[1].
BOBIN, neveu de Nonancourt.
ÉMILE TAVERNIER, lieutenant.
FÉLIX, domestique de Fadinard.
ACHILLE DE ROSALBA, jeune lion[2].
HÉLÈNE, fille de Nonancourt.
ANAÏS, femme de Beauperthuis.
LA BARONNE DE CHAMPIGNY.
CLARA, modiste.
VIRGINIE, bonne chez Beauperthuis.
Une femme de chambre de la baronne.
Un caporal.
Un domestique.
Invités des deux sexes, Gens de la noce.
La scène est à Paris.

1. Comparez ces notices : quelles informations apportent-elles au lecteur ? Par quels moyens le spectateur qui n'a pas eu le programme pourra-t-il avoir ces informations ?

2. Notices 1 à 4 : quels sont les indices qui vous permettent de distinguer les comédies des tragédies ?

---

1. *Teneur de livres* : comptable.
2. *Lion* : dandy.

3. Notices 3 à 6 : quelles évolutions pouvez-vous repérer dans ces notices de comédies (nombre de personnages, statut social, indications sur le cadre spatio-temporel) ?

La scène d'exposition

La scène d'exposition, c'est-à-dire la première scène de la pièce, a une double fonction : elle doit informer le spectateur ou le lecteur (informations sur les personnages, le cadre spatio-temporel, l'intrigue, le genre de la pièce) et surtout lui donner envie de découvrir la suite (l'amuser, l'émouvoir, l'intriguer...).

1. Repérez les scènes d'exposition dans cette anthologie.

2. Quelles informations donne chacune d'elles ?

3. Quelles stratégies ces scènes mettent-elle en œuvre pour captiver l'attention du lecteur ou du spectateur ?

La confrontation avec d'autres genres

Le roman

Le roman ressemble parfois au théâtre lorsqu'il insère dans la narration des dialogues au discours direct. En revanche, il s'en distingue par la présence d'un narrateur, susceptible de dévoiler les pensées secrètes d'un personnage et de projeter le lecteur dans un temps qui précède ou qui suit celui de l'intrigue.

Romancier naturaliste, Zola (1840-1902) s'intéresse à la scène. *Renée* est une adaptation théâtrale de son roman *La Curée* dont voici un extrait qui met face à face Renée et son mari, Saccard. Ce dernier cherche à obtenir de sa femme qu'elle vende des terrains : pour cela, il lui fait croire qu'il a des difficultés financières, dont elle pâtira inévitablement.

Il baisa la main de la jeune femme, galamment.

«Vous êtes malade, ma chère amie ?, dit-il en s'asseyant à l'autre coin de la cheminée. Un peu de migraine, n'est-ce pas ?... Pardonnez-moi de vous casser la tête avec mon galimatias[1] d'homme d'affaires ; mais la chose est assez grave...»

Il tira d'une poche de sa robe de chambre le mémoire[2] de Worms, dont Renée reconnut le papier glacé.

«J'ai trouvé hier ce mémoire sur mon bureau, continua-t-il, et je suis désolé, je ne puis absolument pas le solder[3] en ce moment.»

Il étudia du coin de l'œil l'effet produit sur elle par ses paroles. Elle parut profondément étonnée. Il reprit avec un sourire :

«Vous savez, ma chère amie, que je n'ai pas l'habitude d'éplucher vos dépenses. Je ne dis pas que certains détails de ce mémoire ne m'aient point un peu surpris. Ainsi, par exemple, je vois ici, à la seconde page : "Robe de bal : étoffe, 70 fr. ; façon, 600 fr. ; argent prêté, 5 000 fr. ; eau du docteur Pierre, 6 fr." Voilà une robe de soixante-dix francs qui monte bien haut... Mais vous savez que je comprends toutes les faiblesses. Votre note est de cent trente-six mille francs, et vous avez été presque sage, relativement, je veux dire... Seulement, je le répète, je ne puis payer, je suis gêné.»

Elle tendit la main, d'un geste de dépit contenu.

«C'est bien, dit-elle sèchement, rendez-moi le mémoire. J'aviserai.

– Je vois que vous ne me croyez pas, murmura Saccard, goûtant comme un triomphe l'incrédulité de sa femme au sujet de ses embarras d'argent. Je ne dis pas que ma situation soit menacée, mais les affaires sont bien nerveuses en ce moment... Laissez-moi, quoique je vous importune, vous expliquer notre cas ; vous m'avez confié votre dot, et je vous dois une entière franchise.»

Il posa le mémoire sur la cheminée, prit les pincettes, se mit à tisonner[4]. Cette manie de fouiller les cendres, pendant qu'il causait d'affaires, était chez lui un calcul qui avait fini par devenir une

---

1. *Galimatias* : voir note 2, p. 132.
2. *Mémoire* : facture.
3. *Solder* : payer une facture, une dette.
4. *Tisonner* : remuer les braises.

habitude. Quand il arrivait à un chiffre, à une phrase difficile à prononcer, il produisait quelque éboulement qu'il réparait ensuite laborieusement, rapprochant les bûches, ramassant et entassant les petits éclats de bois. D'autres fois, il disparaissait presque dans la cheminée, pour aller chercher un morceau de braise égaré. Sa voix s'assourdissait, on s'impatientait, on s'intéressait à ses savantes constructions de charbons ardents, on ne l'écoutait plus, et généralement on sortait de chez lui battu et content. Même chez les autres, il s'emparait despotiquement des pincettes. L'été, il jouait avec une plume, un couteau à papier, un canif.

«Ma chère amie, dit-il en donnant un grand coup qui mit le feu en déroute, je vous demande encore une fois pardon d'entrer dans ces détails… Je vous ai servi exactement la rente des fonds que vous m'avez remis entre les mains. Je puis même dire, sans vous blesser, que j'ai regardé seulement cette rente comme votre argent de poche, payant vos dépenses, ne vous demandant jamais votre apport de moitié dans les frais communs du ménage.»

Il se tut. Renée souffrait, le regardait faire un grand trou dans la cendre pour enterrer le bout d'une bûche. Il arrivait à un aveu délicat.

«J'ai dû, vous le comprenez, faire produire à votre argent des intérêts considérables. Les capitaux sont entre bonnes mains, soyez tranquille… Quant aux sommes provenant de vos biens de la Sologne, elles ont servi en partie au paiement de l'hôtel que nous habitons ; le reste est placé dans une affaire excellente, la Société générale des ports du Maroc… Nous n'en sommes pas à compter ensemble, n'est-ce pas ? mais je veux vous prouver que les pauvres maris sont parfois bien méconnus.»

Un motif puissant devait le pousser à mentir moins que de coutume. La vérité était que la dot de Renée n'existait plus depuis longtemps ; elle avait passé, dans la caisse de Saccard, à l'état de valeur fictive.

1. Quels sont les passages qui résistent à l'adaptation théâtrale ? Pourquoi ?

2. Par quels moyens pourrait-on donner à un spectateur les informations qu'ils recèlent ?

3. Transposez cet extrait afin d'en faire une scène théâtrale.

Le cinéma

Nous avons emprunté le titre de cette anthologie au Suédois Ingmar Bergman (1918-2007), metteur en scène de théâtre, scénariste et réalisateur de cinéma, qui intitula ainsi une série télévisée devenue film (1973). Johan (Erland Josephson) et Marianne (Liv Ullmann) semblent former un couple idéal, lorsque Johan annonce brutalement à sa femme qu'il est tombé amoureux d'une autre, plus jeune. Ils se séparent et, progressivement, Marianne, d'abord anéantie, se reprend, tandis que Johan, qui se retrouve finalement seul, est malheureux. Au moment du divorce, les époux se déchirent avec violence. Ce n'est que plus tard qu'ils essaieront de reconstruire leur vie.

Lors de la publication du scénario de la série, Bergman a donné un commentaire de chacune des six scènes qui le composent. Voici l'un de ces commentaires.

Troisième scène : Coup de tonnerre. Johan raconte assez brutalement à sa femme qu'il est tombé amoureux d'une autre femme et qu'il a l'intention de partir. Il est plein d'élan de projets et comme vivifié par l'égoïsme joyeux de son nouvel amour. Marianne est foudroyée. Complètement abandonnée. Elle n'a rien vu venir. En quelques minutes, elle devient sous nos yeux une plaie à vif et palpitante. Humiliation et désarroi.

Trad. Carl-Gustaf Bjurström et Lucie Albertini,
Gallimard, 1975, rééd. coll. «Folio», 2002.

1. Quels sont les *topoï* de la scène de ménage présents dans ce commentaire.

2. Quels sont les registres utilisés dans le dialogue entre les deux personnages ? Justifiez votre réponse.

3. Imaginez le cadre du dialogue : quand a-t-il lieu ? où ?

4. Écrivez le dialogue.

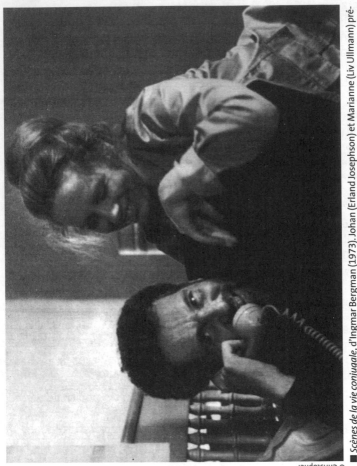

■ *Scènes de la vie conjugale*, d'Ingmar Bergman (1973). Johan (Erland Josephson) et Marianne (Liv Ullmann) présentent encore l'image d'un couple heureux et complice. Pourtant, le téléphone détourne l'intérêt et le regard du mari vers un élément extérieur au couple. C'est parce qu'il a une liaison que les époux se sépareront.

Comique et tragique

L'esthétique classique distingue clairement comédie et tragédie et cherche à circonscrire précisément ces deux genres théâtraux.

La tragédie

Dès l'Antiquité, Aristote tente de définir la tragédie et d'étudier ses fonctions dans sa *Poétique.* Au XVIIe siècle, ce genre dramatique fait encore l'objet de nombreuses réflexions, notamment dans les préfaces qui accompagnent les œuvres.

Définition

En 1660, Corneille publie trois *Discours* sur la tragédie dans lesquels il étudie le genre tragique, mais aussi dans lesquels il justifie certains de ses choix. Voici un extrait de l'un d'eux.

> Lorsqu'on met sur la scène une simple intrigue d'amour entre des rois, et qu'ils ne courent aucun péril, ni de leur vie, ni de leur État, je ne crois pas que, bien que les personnes soient illustres, l'action le soit assez pour s'élever jusques à la tragédie. Sa dignité demande quelque grand intérêt d'État, ou quelque passion plus noble et plus mâle que l'amour, telles que sont l'ambition ou la vengeance, et veut donner à craindre des malheurs plus grands que la perte d'une maîtresse. Il est à propos d'y mêler l'amour, parce qu'il a toujours beaucoup d'agrément, et peut servir de fondement à ces intérêts, et à d'autres passions dont je parle ; mais il faut qu'il se contente du second rang dans le poème et leur laisse le premier.

Corneille, *Discours de l'utilité et des parties du Poème dramatique*, 1660.

1. Quels sont les éléments qui définissent la tragédie selon Corneille ?

2. Vérifiez que les extraits de tragédie de cette anthologie (textes 5 et 6) répondent à cette définition.

Les fonctions de la tragédie

Au XVIIᵉ siècle, alors que le théâtre est attaqué par les moralistes et les autorités religieuses, qui le considèrent comme un divertissement immoral, les auteurs, parmi lesquels Corneille et Racine, s'interrogent sur les fonctions de l'art dramatique.

Pour nous faciliter les moyens d'exciter cette pitié qui fait de si beaux effets sur nos théâtres, Aristote nous donne une lumière. *Toute action*, dit-il, *se passe ou entre des amis, ou entre des ennemis, ou entre des gens indifférents l'un pour l'autre. Qu'un ennemi tue ou veuille tuer son ennemi, cela ne produit aucune commisération, sinon en tant qu'on s'émeut d'apprendre ou de voir la mort d'un homme, quel qu'il soit. Qu'un indifférent tue un indifférent, cela ne touche guère davantage, d'autant qu'il n'excite aucun combat dans l'âme de celui qui fait l'action ; mais quand les choses arrivent entre des gens que la naissance ou l'affection attache aux intérêts l'un de l'autre, comme alors qu'un mari tue ou est prêt de tuer sa femme, une mère ses enfants, un frère sa sœur, c'est ce qui convient merveilleusement à la tragédie*. La raison en est claire : les oppositions des sentiments de la nature aux emportements de la passion ou à la sévérité du devoir forment de puissantes agitations, qui sont reçues de l'auditeur avec plaisir, et il se porte aisément à plaindre un malheureux opprimé ou poursuivi par une personne qui devrait s'intéresser à sa conservation, et qui quelquefois ne poursuit sa perte qu'avec déplaisir, ou du moins avec répugnance.

Corneille, *Discours de la tragédie et des moyens de la traiter selon le vraisemblable et le nécessaire*, 1660.

[...] Quand je ne lui [Euripide] devrais que la seule idée du caractère de Phèdre[1], je pourrais dire que je lui dois ce que j'ai peut-être mis de plus raisonnable sur le théâtre. Je ne suis point étonné que ce caractère ait eu un succès si heureux du temps d'Euripide, et qu'il ait encore si bien réussi dans notre siècle, puisqu'il a toutes les qualités qu'Aristote demande dans le héros de la tragédie, et qui sont propres à exciter la compassion et la terreur. En effet Phèdre n'est ni tout à fait coupable, ni tout à fait innocente. [...]

Au reste, je n'ose encore assurer que cette pièce soit en effet la meilleure de mes tragédies. Je laisse et aux lecteurs et au temps à décider de son véritable prix. Ce que je puis assurer, c'est que je n'en ai point fait où la vertu soit plus mise en jour que dans celle-ci. Les moindres fautes y sont sévèrement punies. La seule pensée du crime y est regardée avec autant d'horreur que le crime même. Les faiblesses de l'amour y passent pour de vraies faiblesses. Les passions n'y sont présentées aux yeux que pour montrer tout le désordre dont elles sont cause. Et le vice y est peint partout avec des couleurs qui en font connaître et haïr la difformité. C'est là proprement le but que tout homme qui travaille pour le public doit se proposer.

Racine, préface de *Phèdre*, 1677.

1. Quelles sont les fonctions de la tragédie exposées dans ces deux textes ?

2. Dressez le portrait du héros tragique.

La comédie

Fonctions de la comédie

Le Tartuffe fait l'objet d'une véritable cabale : on accuse Molière de tourner en ridicule les dévots. Il répond à cette accusation et en profite pour prendre la défense de la comédie en général.

---

1. Racine est l'auteur d'une tragédie en cinq actes, *Phèdre* (1677), qui reprend le mythe de Phèdre, traité par le Grec Euripide (484-406 av. J.-C.) dans sa tragédie *Hippolyte*.

Si l'emploi de la comédie est de corriger les vices des hommes, je ne vois pas pour quelle raison il y en aura de privilégiés. Celui-ci [l'hypocrisie des faux dévots] est, dans l'État, d'une conséquence bien plus dangereuse que tous les autres ; et nous avons vu que le théâtre a une grande vertu pour la correction. Les plus beaux traits d'une sérieuse morale sont moins puissants, le plus souvent, que ceux de la satire ; et rien ne reprend mieux la plupart des hommes que la peinture de leurs défauts. C'est une grande atteinte aux vices que de les exposer à la risée de tout le monde. On souffre aisément des répréhensions, mais on ne souffre point la raillerie. On veut bien être méchant ; mais on ne veut point être ridicule.

On me reproche d'avoir mis des termes de piété dans la bouche de mon imposteur. Hé ! pouvais-je m'en empêcher, pour bien représenter le caractère d'un hypocrite ? Il suffit, ce me semble, que je fasse connaître les motifs criminels qui lui font dire les choses, et que j'en aie retranché les termes consacrés, dont on aurait eu peine à lui entendre faire un mauvais usage. – Mais il débite au quatrième acte une morale pernicieuse. – Mais cette morale est-elle quelque chose dont tout le monde n'eût les oreilles rebattues ? Dit-elle rien de nouveau dans ma comédie ? Et peut-on craindre que des choses si généralement détestées fassent quelque impression dans les esprits, que je les rende dangereuses en les faisant monter sur le théâtre, qu'elles reçoivent quelque autorité de la bouche d'un scélérat ? Il n'y a nulle apparence à cela ; et l'on doit approuver la comédie du *Tartuffe* ou condamner généralement toutes les comédies.

Molière, préface du Tartuffe, 1664.

1. Quelles sont les fonctions de la comédie ? Pourquoi est-elle efficace ?

2. Quelle est la fonction des tirets dans le deuxième paragraphe ? Quel est l'effet produit par ce procédé ?

La comédie et le ridicule

Dans *L'Impromptu de Versailles,* une comédie en prose et en un acte, Molière se met lui-même en scène. La pièce commence par une répétition des comédiens en présence du dramaturge. C'est l'occasion pour Molière de parler du personnage de comédie.

Plus de matière ? Hé ! mon pauvre Marquis, nous lui [à Molière] en fournirons toujours assez, et nous ne prenons guère le chemin de nous rendre sages pour tout ce qu'il fait et tout ce qu'il dit. Crois-tu qu'il ait épuisé dans ses comédies tout le ridicule des hommes ? Et, sans sortir de la cour, n'a-t-il pas encore vingt caractères de gens où il n'a point touché ? N'a-t-il pas, par exemple, ceux qui se font les plus grandes amitiés du monde, et qui, le dos tourné, font galanterie de se déchirer l'un l'autre ? N'a-t-il pas ces adulateurs à outrance, ces flatteurs insipides, qui n'assaisonnent d'aucun sel les louanges qu'ils donnent, et dont toutes les flatteries ont une douceur fade qui fait mal au cœur à ceux qui les écoutent ? N'a-t-il pas ces lâches courtisans de la faveur, ces perfides adorateurs de la fortune, qui vous encensent dans la prospérité et vous accablent dans la disgrâce ? N'a-t-il pas ceux qui sont toujours mécontents de la cour, ces suivants inutiles, ces incommodes assidus, ces gens, dis-je, qui pour services ne peuvent compter que des importunités, et qui veulent que l'on les récompense d'avoir obsédé le Prince pendant dix ans durant ? N'a-t-il pas ceux qui caressent également tout le monde, qui promènent leurs civilités à droite et à gauche, et courent à tous ceux qu'ils voient avec les mêmes embrassades et les mêmes protestations d'amitié ?

Molière, *L'Impromptu de Versailles*, scène 4, 1663.

1. D'après les propos que Molière prête à son personnage, quels sont les ressorts de la comédie ?

2. Quels sont les vices qu'il prétend mettre en scène ? Faites quelques recherches sur Molière et son œuvre : auxquels de ces vices a-t-il effectivement consacré une comédie ?

La remise en cause de la dichotomie

Au XXe siècle, certains auteurs remettent en cause l'opposition traditionnelle entre comédie et tragédie. Elle ne leur semble plus susceptible de représenter le monde, perçu comme mouvant, incertain.

Je n'ai jamais bien compris, pour ma part, la différence que l'on fait entre comique et tragique. Le comique étant l'intuition de l'absurde, il me semble plus désespérant que le tragique. Le comique n'offre pas d'issue. Je dis «désespérant» mais, en réalité, il est au-delà du désespoir ou de l'espoir.

Pour certains, le tragique peut paraître, en un sens, réconfortant, car, s'il veut exprimer l'impuissance de l'homme vaincu, brisé, par la fatalité par exemple, le tragique reconnaît, par là même, la réalité d'une fatalité, d'un destin, de lois régissant l'Univers, incompréhensibles parfois, mais objectives. Et cette impuissance humaine, cette inutilité de nos efforts peut aussi, en un sens, paraître comique.

Ionesco, *Notes et contre-notes*, «L'expérience du théâtre» (1958)
© Gallimard, 1970, rééd. coll. «Folio», 1991.

Le tragique, c'est le sens jeté à la face de l'univers vide de sens, c'est la vulnérabilité et l'apprentissage de la sollicitude, c'est l'endurance et la détermination à affronter la peur, l'abandon implacable de l'illusion des faux-semblants. Le comique est anarchie, dérision, traîtrise, *hubris*[1], il joue de la mort, de la peur, de la panique, de l'insouciance. Le tragique et le comique tirent leur stabilité l'un de l'autre, et c'est dans leur rapport mutuel que le moi trouve son sens. Pour comprendre ce rapport on pourrait parler d'un portail au seuil duquel il faut se situer. Le portail constitue le site de tout «drame» moderne.

Edward Bond, cité dans *Le Théâtre anglais contemporain : 1985-2005*,
dir. Élisabeth Angel-Perez et Nicole Boireau, Klincksieck, 2007.

1. Reformulez les définitions que donnent ces deux auteurs du tragique et du comique. Montrez en quoi elles sont liées à leur conception du monde.

2. Quels rapports chacun établit-il entre ces deux notions ?

---

1. *Hubris* : mot grec qui désigne la démesure des héros tragiques.